Noordgeest

Ricus van de Coevering

Noordgeest

*

VAN GENNEP | AMSTERDAM

Ander werk van Ricus van de Coevering

Sneeuweieren (roman, 2007) Academica Literatuurprijs

De auteur dankt het Amsterdams Fonds voor de Kunst
en het Nederlands Letterenfonds voor de stimuleringsbeurzen
die hij voor deze roman heeft ontvangen

Deze roman kwam mede tot stand door bemiddeling van
Sebes & Van Gelderen Literair Agentschap

Eerste druk oktober 2014

Nieuwezijds Voorburgwal 330, 1012 RW Amsterdam
Ontwerp omslag Léon Groen
Beeld omslag Oude Schans, Amsterdam, Holland, 1890-1900.
Universal History Archive/UIG | Bridgeman Images
Drukwerk Bariet, Steenwijk
ISBN 9789461643124 | NUR 301

www.ricusvandecoevering.nl
www.uitgeverijvangennep.nl

Voor mijn vader en mijn zoon

Hoofdstuk 1

WILLEM hoorde het dreunen van een diesel en liep naar het raam. Een rondvaartboot schoof tussen de oude gevels voorbij. Terwijl hij naar het flitslicht keek, vroeg hij zich af op hoeveel foto's hij onbedoeld stond afgebeeld. Zeker honderden en misschien wel duizenden. Pas als die toeristen thuiskwamen en de foto's goed bekeken, ontdekten ze hem misschien, maar ze zouden niet zien wat hem zo bijzonder maakte.

Toen hij zich van het raam afwendde, sloeg de pendule op de schouw vier en voelde hij een mengeling van melancholie en spanning in hem opkomen omdat het over minder dan een week oud en nieuw was. Negentien tachtig, herhaalde hij een paar keer in gedachten – tachtig, tachtig, om er alvast aan te wennen. Terwijl hij leunend op zijn stok de gang in liep, voelde hij zich met zijn stijve knie wel zeventig jaar oud in plaats van zevenenveertig. Nadat hij zijn lange jas had aangetrokken, bekeek hij zichzelf in de spiegel: hij had duidelijk de haakneus van Ferdinand Janszoon Noordgeest, zijn beroemdste voorvader, medeoprichter van de VOC, wiens levensgrote portret achter hem aan de muur hing. Alsof hij de gelijkenis voor het eerst zag wipte hij trots met zijn hakken van de grond, toen riep hij met zware stem Thomas en Rosa, zijn kinderen.

Thomas kwam uit de achterkamer gelopen met een stripboek in zijn hand. Willem commandeerde hem zijn zus te gaan halen, waarna Thomas de trap op rende. Even later kwam hij naar beneden met een boodschappenbriefje, omdat Rosa geen zin had om mee te gaan.

'Haas,' mompelde Willem, toen hij het slordige handschrift van zijn dochter had ontcijferd, daarna opende hij de zware eikenhouten voordeur. Moeizaam, trede voor trede, met één hand aan de leuning en de andere hand stevig om zijn stok geklemd ging hij het trapje naar de gracht af. Het zout dat hij er 's ochtends gestrooid had, knisperde onder zijn zolen. 'Maar jij gaat 'm kopen Thomas, want ik zet daar geen voet binnen.'

Willem zette zijn kraag omhoog tegen de gure wind die over de gracht blies en liep samen met zijn zoon de eerste zijstraat in. Hij zag dat veel pandjes nog steeds te koop stonden. Ze kwamen langs dichtgetimmerde ramen en nissen die naar pis stonken. Wie tegenwoordig een gezinnetje wilde stichten trok de oude stad uit, de provincie in, waar de mensen hun eigen stoepje tenminste nog veegden. Nog even en zijn huis was minder waard dan toen hij het gekocht had, maar gelukkig sloeg de verloedering op de mooiste gracht van de stad minder hard om zich heen dan hier. Hij kwam langs de winkelruimte van zijn ouderlijk huis, waar vroeger de slagerij van zijn vader was. Tegenwoordig was er een broodjeszaak gevestigd, maar die bleek vandaag gesloten. Hij keek omhoog naar de eerste verdieping, waar hij opgegroeid was en waar zijn moeder tot anderhalf jaar geleden nog gewoond had. Na een hersenbloeding was ze gestorven. Nu verhuurde hij de verdieping aan twee studenten. Ze betaalden de huur op tijd, maar klaagden altijd over de staat van onderhoud. Ze moesten niet zo zeuren, dacht Willem terwijl hij verder liep, leunend op zijn stok.

Een eindje verderop hield een donkere man een magere junk bij zijn arm vast. Hij liet hem iets zien dat op zijn handpalm lag. Ze lachten met bruine tanden naar elkaar. Willem hield zijn stok stevig vast, zodat hij zichzelf en zijn zoon ermee zou kunnen beschermen, maar besloot voor alle zekerheid om toch rechtsaf te slaan, de kortste route de straat uit. 'Dan maar een eindje om, hè Thomas?' zei hij tegen zijn zoon, maar die had niks in de gaten; Thomas liep zijn stripboek te lezen.

In de winkelstraat rook Willem de vette lucht van wafels en oliebollen. De kerstverlichting in de etalages knipperde, belletjes tingelden, in de verte klonk geknal van vuurwerk. Iedereen scheen opgewekt en vrolijk en juist die vrolijkheid deed hem beseffen hoe eenzaam hij zich voelde.

Hoe dichter hij bij de slager kwam, hoe langzamer hij ging lopen – voor de etalage bleef hij staan. Hij zag de gestroopte konijnen aan de haken en de lappen vlees in de vitrines. Telkens als de deur open- en dichtging, rook hij die weeë geur van vroeger weer, de geur die hem naar zee had gejaagd. Hij moest weer aan zijn jeugd denken, aan zijn vader, de winkel, en hij gruwde ervan. Rond deze tijd moest hij 's middags na school vaak helpen met slachten: konijnen, hazen, een varken. Niet het slachten zelf, maar de manier waarop was hij gaan haten. Zijn vader was zo ruw met de dieren dat ze hun poten braken en pezen scheurden voordat ze dood waren. Het was altijd een opluchting geweest als hun kelen eindelijk waren doorgesneden en hun bloed over de klinkers liep. Op zaterdagen moest hij zijn moeder helpen achter de toonbank: vlees verkopen, vriendelijk zijn voor de klanten, glimlachend gehakt malen, biefstuk inpakken en tussendoor bloed en vet van zijn vingers wassen.

'Tot zo,' zei hij vol walging en hij gaf zijn zoon geld mee. Daarna liep hij naar een ijzerwinkel een eindje verderop en keek hij in de etalage naar vijlen, hamers en houtboortjes, waar hij er een paar van nodig had. Het was stil in de winkel en nadat hij geholpen was, keek hij er nog even rond. Toen hij weer buiten kwam, stond Thomas op hem te wachten met de haas als een koude baksteen onder in een plastic tas.

'En nu, de groenteboer of eerst de slijterij?' vroeg Willem.

Thomas antwoordde dat hij ijs moest hebben van de supermarkt. Hij de toetjes, zijn zus het hoofdgerecht, zo hadden ze het afgesproken.

'Dan kopen we daar de rest wel,' mompelde Willem.

Toen ze even later met alle boodschappen voor het avondmaal langs de gracht sjokten, brandden de straatlantaarns al. Twee toeristen met een kaart in de hand kwamen hen tegemoet en bekeken de verlichte oude gevels met de familiewapens in de hoogte. Terwijl Thomas de boodschappen het trapje op sjouwde, viel het Willem op hoe stil en donker het binnen was. Zijn longen begonnen te piepen en hij begon te hoesten – zo hard en lang dat hij aan de deurpost steun moest zoeken.

*

Terwijl haar vader en broertje naar de winkel waren, doorzocht Rosa de linnenkast van haar moeder op zoek naar iets dat bij haar nieuwe rokje paste. Ze had vanavond een afspraak met Peter, haar nieuwe vriend, en kon niet wachten om hem weer te zien. De gesloten muffe vitrages voor het raam bewogen in de tocht. Ze paste snel een truitje en daarna een blouse. Vroeger, toen haar moeder nog leefde, had ze hier vaak geslapen, maar tegenwoordig kwam ze hier liever niet. Haar vaders pyjama lag op het tweepersoonshemelbed midden in de kamer en aan een spijker in de muur hing zijn kapiteinspet met een laagje stof erop. De geur van mottenballen steeg op uit zijn kast, ze werd er misselijk van. Toen ze de piepende deuren wilde sluiten, zag ze onderin een kartonnen doos staan. Ze vouwde hem open en ontdekte tot haar verwondering dat er spullen van Ama in zaten, de hulp in de huishouding, die een jaar geleden uit huis was gevlucht.

Rosa luisterde op de gang of haar vader en broertje al terug waren, maar het was stil in huis. Ze had altijd gedacht dat haar vader alle spullen van Ama had weggegooid. Nieuwsgierig sloop ze met de doos een verdieping hoger, naar haar eigen kamer, waar ze de inhoud bekeek. Een katoenen rok en een blouse, een paar slippers en een paar sandalen, een enkelbandje van houten kralen, een beduimeld dichtbundeltje van Aquah Laluah, Ama's favoriete Afrikaanse dichteres, en een paar kanten slipjes. Ze hield haar adem even in. Waarom had haar vader dit allemaal bewaard? En wat moest hij in godsnaam met Ama's slipjes?

Kort na het overlijden van haar moeder was Ama in huis

gekomen om voor het huishouden te zorgen. De eerste dagen had Rosa aan Ama moeten wennen en hadden ze weinig contact gehad. Ama was toen negentien jaar oud geweest, zes jaar ouder dan zijzelf, en ze was verlegen en praatte niet zo graag. Maar al gauw werden ze vriendinnen. In die jaren kon ze met Ama overal over praten: over jongens, over haar uiterlijk, over de liefde en seks. Ama had eens verteld over een mooie jongen uit haar geboortedorp. Ze was al verliefd op hem geworden toen ze nog maar een meisje was, maar ze had het hem nooit durven vertellen. Op een avond werd hij door het dorpshoofd gestraft omdat hij diens dochter zou hebben verleid. Ama hoorde hem schreeuwen en kermen en toen ze ging kijken, zag ze hem tegen een boomstam aan staan met zijn handen en voeten samengebonden en een krans van takjes en stro rond zijn hals. Ze kon door de vlammen zijn gezicht niet zien. Ze was die nacht het dorp uit gevlucht, naar Accra, om er een nieuw leven op te bouwen.

Ama had zachtjes gehuild en gezegd dat ze het verhaal nog nooit aan iemand had verteld. Ze had Rosa een ketting van houten kralen gegeven, als bewijs van hun vriendschap.

Rosa zocht naar Ama's ketting en vond hem in de onderste lade van haar rococokaptafeltje, tussen tientallen andere kettingen, ringen en oorbellen. Ze stak haar blonde haar op terwijl ze in de spiegel keek en deed de ketting om. Ze begreep nog steeds niets van die nacht, nu ruim een jaar geleden, waarop Ama uit huis was gevlucht.

Ze herinnerde zich het gestommel dat ze die avond op Ama's kamer naast de hare had gehoord. Even later had ze haar vader in zijn badjas naar beneden zien gaan, waarna ze bezorgd naar Ama geslopen was. Ama fluisterde dat er niks aan de hand was en dat ze maar snel moest gaan slapen. Met een papieren zakdoekje had Ama haar bloedneus gestelpt terwijl haar oog begon te zwellen. Rosa had gevraagd of haar vader haar geslagen had, maar Ama had op strenge toon gezegd dat ze zich er niet mee moest bemoeien, daarna had ze de deur gesloten. De volgende ochtend was Ama nergens te vinden. Haar dekbed lag op de grond, de lades en deuren van haar kast stonden open en ervoor lagen wat kleren op de grond. Rosa had aan haar vader gevraagd wat hem bezield had om Ama te slaan en ze was boos op hem geworden. Hij had hoofdschuddend verteld dat hij Ama had betrapt toen ze een van zijn antieke horloges in haar schortzak liet glijden. Hij had een paar dagen daarvoor nog gezocht naar een ander horloge, dat het niet meer deed maar een mooie vergulden kast had. Hij wist niet eens wat er precies in huis was, laat staan dat hij het meteen miste. Een zilveren lepel, een porseleinen bord, een koperen kandelaar uit een rommellade? Kruimelwerk, maar bij elkaar kon het toch in de papieren lopen. Ze had een goed leven hier, maar ze wilde blijkbaar meer? In plaats van antwoord te geven was Ama naar boven gerend, naar haar kamer, waar hij het haar nog eens had gevraagd. Ze had onnozel haar schouders opgehaald en gezegd dat ze terug wilde naar Ghana, waarna hij haar een klap had gegeven. Met de vlakke hand in haar gezicht.

'Tja, stom natuurlijk,' zei hij ten slotte, 'nooit moeten doen.'

Ze hadden later die ochtend ontdekt dat er nog meer spullen verdwenen waren. Het ergste was nog wel de ontdekking van haar broertje dat er een schilderij weg was: *Botters op de Zuiderzee*, het kleine maar kostbare werkje van Cornelis de Bruin. Ama bracht de spullen misschien naar verschillende antiekzaakjes of helers, waar ze, wie weet, op het idee gebracht was om een schilderij te stelen.

Rosa schrok op toen ze beneden de voordeur hoorde. Ze deed Ama's spullen snel terug in de doos en ging ermee de trap af naar de eerste verdieping, de verdieping van haar vader, omdat hij niet mocht ontdekken dat ze in zijn kast geweest was. Ze wilde tenslotte ook niet dat hij ongevraagd in háár kast kwam. Toen ze langs de muur liep waar *Botters op de Zuiderzee* gehangen had, bleef ze even staan. Ze herinnerde zich het schilderij met de grauwe schuimkoppen op de golven en een woeste wolkenlucht erboven. Nu stak er een kale spijker uit de muur. Het was het lievelingsschilderijtje van haar moeder geweest, haar huwelijkscadeau zelfs, dus wat had Ama toch bezield om uitgerekend dat mee te nemen? Was ze puur uit hebzucht met stelen begonnen, of had er iets anders gespeeld? Haar vader was goed voor Ama geweest, herinnerde Rosa zich. Hij betaalde haar niet slecht en als Ama eens geen zin had, deed hij zelf de afwas. En 's ochtends mocht ze uitslapen, als ze dat wilde. En ze hadden het ook goed kunnen vinden, dacht ze, want ze zaten vaak tot 's avonds laat samen en ze had hem weleens haar kamer zien binnengaan.

Ze hoorde haar vader met zware stem roepen: 'Rosaline, kom je nog?'

'Ja, zo,' riep ze terug.

'Ze heeft geen zin,' hoorde ze de stem van haar broertje galmen in de hal.

'Waar bemoei jij je mee?' riep ze.

Haar vader had de ochtend na Ama's vertrek haar kamer opgeruimd, schoongemaakt en op slot gedaan, omdat hij niet wilde dat iets nog aan haar zou herinneren. Hij schaamde zich zeker voor de situatie en voelde zich er misschien verantwoordelijk voor. Hij had Ama immers in Ghana meegevraagd naar Nederland en haar hier als hulp in huis genomen. Rosa had hem weleens gevraagd waarom. Hij had toch ook hier in de stad een hulp kunnen vinden? Ze hadden toch geen seks met elkaar? Zeker weten deed Rosa het niet, want dít had ze Ama noch haar vader ooit durven vragen.

Ze zette de doos terug in de kast en ging snel zijn kamer uit. Hij had de sloten laten veranderen, want Ama had de sleutel nog. Ze mochten Ama nooit meer binnenlaten, had hij gezegd. Toen haar broertje vroeg of hij aangifte ging doen, zei hij dat het toch geen zin zou hebben. Hij wilde bovendien geen gedoe met de instanties. Ama woonde officieel niet eens bij hen in huis, haar salaris betaalde hij haar zwart uit en haar verblijfsvergunning was allang verlopen. Het was het beste dat ze zich bij de diefstallen zouden neerleggen en Ama zo snel mogelijk zouden vergeten.

'Vergeten?' had ze geroepen. 'Alsof dat zomaar kan!'

De eerste maanden na haar vlucht had ze elke dag aan Ama gedacht. Ze had haar vader nog vaak naar de ruzie gevraagd. Hij kapte ieder gesprek daarover af en zei dat ze blij moesten zijn dat ze weg was.

Toen Rosa de laatste trap af ging, zag ze haar broertje van het toilet komen, waarna hij de tas met boodschappen door de lange gang naar de schemerige keuken sjouwde. Ze ging achter hem aan en deed de lamp boven de tafel aan. Nadat ze de boodschappen had gecontroleerd vroeg ze aan haar broertje waarom ze geen aardappelen hadden gekocht.

'Omdat we die nog hebben,' zei hij.

'En peterselie dan?' vroeg ze.

'Die was op,' riep hij haar vanuit de hal na.

Ze legde de haas met tegenzin op de plank op het aanrecht en begon de uien te pellen voor de soep. Als Ama hier nog gewoond had, zouden ze samen boodschappen zijn gaan doen en hadden ze daarna samen gekookt. Ama's lievelingseten was pindasoep met *fufu* van cassave en bakbanaan en ze had het vaak klaargemaakt. Nu ze eraan dacht, kreeg Rosa een leeg gevoel in haar buik. Ama las tijdens het koken vaak in het Engels gedichtjes voor of ze vertelde over Ghana: over de droogte in de winter, de zware regenbuien in lente en zomer, over de compound waar ze in Accra woonde en het zware werk dat ze er gedaan had. Hoe meer ze over Ghana hoorde, hoe sterker Rosa ernaar verlangd had om er eens met Ama naartoe te gaan. Ze zag Ama weer voor zich: haar ronde gezicht, korte kroeshaar, witte voortanden met het spleetje ertussen en de kleine littekens van haar stam op haar wangen. Ze kreeg een warm gevoel bij de gedachte hoe lief Ama was geweest.

Toen haar vader de keuken in kwam om een glas melk te drinken, vroeg ze: 'Papa, waarom nam je Ama mee naar Nederland?'

'Ama?' Hij ademde met piepende longen in en zei: 'Ik wilde haar... helpen. Hier in Nederland kon ze geld sparen. Dat weet je toch?'

'Maar ik heb je een paar keer op haar kamer gezien, 's avonds laat, toch?'

'Niet dat ik weet,' mompelde hij.

'Hoe kun je zoiets nou vergeten. Ik heb het toch gezien?'

'Nou, we praatten 's avonds weleens met elkaar ja.'

'Ze was negentien jaar toen ze in huis kwam. En jij vierenveertig...'

'Hm,' zei hij, daarna zette hij zijn glas in de gootsteen en vroeg: 'Zeg, hoe laat zullen we eten, rond zessen?'

'Dat is geen antwoord.' Ze verzamelde al haar moed om te durven vragen: 'Dééd je het met haar?'

'Rosa, nou is het genoeg! Ten eerste heb je er niks mee te maken en ten tweede, niet nu, alsjeblieft!'

'Zes uur haal ik nooit. Zeven uur op z'n vroegst,' antwoordde ze.

'Mooi, dan ga ik eerst even liggen, anders lopen we elkaar maar in de weg.'

'Jij mij, bedoel je.'

'Niet zo'n grote mond, hè meisje,' antwoordde hij terwijl hij zwaar leunend op zijn stok de gang in liep.

'En anders?' riep ze. 'Ga je mij ook slaan?'

'Rosa, ophouden, het is voorbij, ze is weg,' hoorde ze haar vader nog zeggen, toen was hij naar boven.

Nu ze de doos gevonden had en Ama's spullen weer gezien had, besefte ze eens te meer hoe vreemd de geschiedenis met Ama was geweest. Ze sneed nadenkend een ui in stukken. Hij deed alsof hij het zich nauwelijks herinnerde, maar ze had wel gezien dat zijn gezicht bleek geworden was. Stel je voor dat hij seks met haar had gehad, met de vijfentwintig jaar jongere straatarme Ghanese hulp. Het viel haar moeilijk om zich een beeld te vormen van het seksleven van haar vader, het stond haar tegen. Ze herinnerde zich dat Ama de laatste paar weken stiller was geworden, schuwer, en dat ze hun vader nauwelijks nog durfde aan te kijken. Zou dat vanwege de diefstallen zijn geweest?

Ze legde het mes neer en ging de hal in. Ze móést er met iemand over praten. Voordat ze de hoorn van de haak nam, controleerde ze of haar vader al boven was, toen draaide ze Peters nummer. 'Hé, met mij,' fluisterde ze. 'We zien elkaar vanavond, toch? Hoe laat precies? Oké, negen uur. Ik...' Op dat moment hoorde ze een traptrede kraken. Ze werd er zenuwachtig van. Toen ze omkeek, stond hij halverwege de trap en keek hij vragend naar haar. Zijn grijze haar zat in de war; de haarlijn was steeds verder naar achteren geweken en naarmate zijn wangen verder invielen, leek zijn haakneus groter te worden.

'Met wie bel je?' vroeg hij.

'Gewoon een vriendin.'

'Waarom?'

'We gaan de stad in vanavond,' antwoordde ze.

'Dat zullen we nog weleens zien.'

'Hoe bedoel je?'

'Precies zoals ik het zeg.'

'En als ik toch ga?'

Hij draaide zich zwijgend om en ging langzaam weer naar boven.

*

Willem klom zwaar ademend naar de eerste verdieping, zich optrekkend aan de leuning, trede voor trede. Voordat hij zijn slaapkamer in ging, keek hij naar de spijker waaraan *Botters op de Zuiderzee* gehangen had. Hij wilde er iets anders ophangen, maar hij wist nog steeds niet wat. Hij deed op zijn slaapkamer zijn schoenen uit, zette ze naast zijn sloffen en ging op het hemelbed liggen. *Déden jullie het met elkaar?* Hij vroeg zich af hoe Rosa daar opeens bij kwam. Had ze destijds meer gehoord of gezien, terwijl hij dacht dat ze lag te slapen?

Willem staarde naar de openstaande deur van zijn slaapkamer alsof Thomas en Rosa daar zouden staan en zijn gedachten konden lezen. Zijn longen begonnen steeds meer te piepen. Hij hoopte maar dat Rosa er niet opnieuw over zou beginnen. Hij voelde zijn hand weer tintelen nu hij aan de klappen dacht die hij Ama een jaar geleden had gegeven. Ama's ogen waren groter geworden in haar donkere gezicht. En nog eens had hij geslagen, met de vlakke hand tegen haar wang, en daarna met zijn vuist, zodat er een druppel bloed uit haar neus gerold was. Die ruzie had Rosa door de dikke eeuwenoude muur heen gehoord.

Willem draaide zich op zijn zij en keek naar het portret van Annigje, zijn vrouw, aan de muur naast zijn bed. Hij had het kort voor haar dood van haar laten maken. Ze keek hem verlegen aan en zag er lief uit, vond hij. Wat zou hij graag samen met haar en de kinderen gedineerd hebben, wat zou ze er mooi uit hebben gezien. Hij zou vanavond over haar vertellen, nam hij zich voor; hij zou Rosa en Thomas over hun moeder vertellen, over de jaren waarvan zij zich weinig of niets herinnerden. Hij zou ze vertellen hoe optimistisch en grappig hun moeder was geweest. Hoe snel ze Rosa gebaard had. Zo klein, rimpelig, roze en onschuldig als Rosa geweest was. En zo slaperig en tevreden als ze aan haar moeders borst had gelegen. En hopelijk zou Rosa dan niet weer over Ama beginnen.

Hij glimlachte naar Annigje, maar kon haar lieve ogen niet

langer zien en wendde zijn gezicht af. Voor Annigje schaamde hij zich over Ama misschien nog het meeste. Ze zou van hem gewalgd hebben, vanzelfsprekend, maar gelukkig zou zij het nooit meer te weten komen. Toch luchtte deze gedachte hem nauwelijks op en werd de schaamte er niet door weggenomen.

Hij nam zijn medicijn uit de borstzak van zijn overhemd, zette het busje aan zijn mond en inhaleerde diep. Hij kreeg er weliswaar meer lucht van, maar langer dan een uur hielp het nooit. Na de kerst moest hij maar naar de dokter gaan voor zwaardere medicijnen, al had hij er weinig vertrouwen in, want de schaamte trok zich als een riem steeds strakker rond zijn borst.

Hij sloot zijn ogen en probeerde te slapen, maar in plaats daarvan zag hij in gedachten Ama naast een emmer op de keukenvloer neerhurken. Schort voor, slippers aan. Ze tilde de dweil als een konijn bij zijn nekvel uit de emmer en kwakte hem op de grond. Hij liep om haar heen, zijn schoenen lieten smerige voetstappen na. Met een bezweet gezicht dweilde ze de vloer, het puntje van haar tong tussen haar tanden. Hij kon tussen haar benen kijken en zag de rode stof van haar slipje.

Zijn gedachten gingen naar een andere dag, niet lang daarna, waarop hij de badkamer in gegluurd had, waar hij haar hoorde neuriën. Ze zeepte haar donkere armen en benen in, haar borsten en dijen. Hij was zwaar ademend de badkamer in gegaan, terwijl hij zich nog zo had voorgenomen om van haar af te blijven. Ze bleef doodstil staan. 'Don't worry, Ama,' had hij zachtjes gezegd. 'Relax, everything is okay.' Hij nam een borst in zijn hand, toen de andere, een voor een. Hij likte haar egale donkere huid met de nog donkerder tepels. Hij legde zijn handen op haar prachtige heupen, draaide haar om, kuste haar billen, duwde ze uit elkaar. Nadat hij zijn riem had losgemaakt, nam hij haar staand.

Toen Willem in de verte een stem hoorde roepen, duurde het even voordat hij besefte dat hij in slaap was gevallen.

'Papa, eet je nog mee?' riep zijn dochter van beneden.

'Ja, ja, ik kom eraan!' riep hij terug.

Hij rekte zich op bed geeuwend uit en voelde zich wat fitter dan daarstraks. Nu hij opstond, merkte hij dat hij een erectie had en herinnerde hij zich zijn droom. Hij keek vervreemd naar zijn onderlijf, dat zich nergens voor schaamde.

Hoofdstuk 2

DAAR ergens in de duisternis moest Ghana liggen. Willem had op alle continenten gevaren, had in honderden steden aangemeerd en wel tien keer de Kaap gerond, maar aan de Westkust had hij nooit een voet aan land gezet, eenvoudigweg omdat er tegenwoordig nauwelijks handel mee gedreven werd. Niet één lichtje zag hij branden, zelfs niet van een vuurtoren, en hij vroeg zich af of er een donkerder continent op aarde bestond. Hij had 's ochtends op de dertigste breedtegraad zwaar weer gehad. Bij zo'n onmetelijke natuurkracht werd alles kleiner, zelfs zijn lijden. Als hij tegen de wind in zwoegde en probeerde te blijven staan, was het alsof hij vocht met God. Het lot tartend had hij de reling losgelaten, maar God had hem niet opgetild en meters verderop het water in gesmeten. Na de middag was de wind gaan liggen en hadden de golven hun schuimkoppen verloren, zodat een lange deining het schip nu telkens traag optilde. Maar zo rustig als de oceaan was, zo onrustig was zijn gemoed, alsof een vis zich in het slijk op de bodem van zijn ziel omwentelde, telkens weer, happend naar lucht.

Drie weken na Annigjes dood – en hij was al naar zee gevlucht. Hij liep in het licht van de deklampen naar de achtersteven, waar hij naar het kielzog tuurde. Het schuimende en kolkende water beangstigde hem, maar trok hem tegelijkertijd aan. Als hij zou springen, was hij van de rauwe pijn verlost die hem sinds haar dood verscheurde. Hoe vaak hij al op het punt had gestaan! Maar hij kon het niet vanwege zijn kinderen. De enige reden om te blijven leven waren Rosa en Thomas. Hij keek over zijn schouder en kon in de hoogte zijn tweede stuurman op de brug zien staan. Een broekie van nog geen zesentwintig jaar oud aan wie hij het schip nauwelijks durfde toe te vertrouwen. En toch deed hij het, want hij kon zich moeilijk concentreren omdat hij telkens aan thuis moest denken. En zo kwam hij steeds minder op de brug en steeds minder in de gangen, zelfs in zijn eigen hut was hij zelden te vinden; overdag zat hij het liefste in de frisse lucht in zijn dekstoel, starend naar de horizon. Hij had de herinneringen aan Annigjes overlijden en begrafenis naar de zolder van zijn geest gebracht, als een doos vol oude rekeningen.

Hij herinnerde zich met tegenzin hoe hij aan haar bed gezeten had in het ziekenhuis, nachten achtereen. Ze was de laatste dagen te zwak geweest om te praten. Nu en dan probeerde ze iets te fluisteren. Op een dag, Thomas en Rosa waren er ook bij, fluisterde ze: 'Ik wil...' 'Ja mama, zeg 't maar, wat wil je?' vroeg Rosa zachtjes. Ze hadden verwacht dat ze om een glas water zou vragen of een stukje appel. '... Dood.' Hij herinnerde zich de begrafenis, het schuifelen door de kerk achter de kist aan, die na de dienst de grond in zakte. De eerste aardkluit, de bleke gezichten van zijn kinderen. Hij was die dag gebroken, als een vaas, in duizend stukjes. Soms probeerde iemand met een goed woord of een schouderklop een stukje te lijmen, maar het was onbegonnen werk. Hij probeerde te begrijpen waarom hij het daarna zo kort had uitgehouden thuis. In dat verlaten decor, waar alles hem aan háár herinnerde en waar zij samen zo gelukkig waren geweest. Haar kleren lagen nog in de linnenkast, haar tandenborstel stond nog in de beker naast de kraan. En alles in huis had zij aangeraakt, uitgestald, opgepoetst, uitgekozen: de dressoirs, de stoelen, de spiegels, de kroonluchters, de tapijten, het servies. Als hij daar 's ochtends wakker werd, was zijn eerste gedachte: ze is dood. Zoals alles daar eens geglansd had van hun toekomstdromen, zo was het er nu dof geworden. Maar met zijn kinderen om zich heen moest hij zich groot houden. Hij wilde ze niet beschadigen of lastigvallen met zijn rouw. En als hij er met iemand over wilde praten, klemde zijn keel dicht. Zijn moeder moest maar op Thomas en Rosa passen als hij naar zee was; hij kón niet anders.

Het schip kwam traag omhoog. Willem boog zich over de reling en riep naar de kolkende en schuimende Atlantische oceaan in de diepte: 'Godverdomme, klootzak!' Een schuimvlok spatte in zijn gezicht uiteen, hij proefde het zout op zijn tong. Hij nam stevig de reling vast, keek nu omhoog naar de sterren en vloekte weer. Heerlijk was het om God zo onbeschaamd te kunnen uitschelden. Alleen daarom al zou je gaan geloven. Hij balde zijn vuisten naar de sterren en zwoer dat hij de dood van zijn vrouw zou wreken. Hij zou God straffen, voor iets anders had hij God niet nodig. Als Hij een kerel was en hier op het dek zou staan, zou hij 'm de schedel inslaan. Nog eens vloekte hij, en nog eens, en toen zijn stem schor begon te worden, besloot hij om naar zijn hut te gaan en beklom hij langzaam en met tegenzin de smalle ijzeren trappen. Nadat hij een paar slokken jenever gedronken had, ging hij lusteloos in zijn kooi liggen. Hij had geen zin om zich uit te kleden, zelfs zijn sokken hield hij aan. Een kies in zijn rechteronderkaak deed pijn en met het puntje van zijn tong voelde het gaatje als een grot aan; hij was sinds Annigjes ziekte niet meer naar de tandarts geweest. Hij verwaarloosde niet alleen zijn kinderen en het schip, maar ook zijn eigen lijf, besefte hij maar al te goed. Hij wilde nergens meer aan denken en concentreerde zich daarom op het schip, dat hem in haar machtige stalen schoot in slaap wiegde. Het werd een ondiepe en onrustige slaap waarin hij droomde dat hij door modder waadde die tot aan zijn heupen kwam, totdat hij van een dreun onderdeks wakker schrok.

Het schip helde naar bakboord, voelde Willem, en iets dat onder zijn bed lag, schoof over de vloer. Zijn rug was klam van het zweet. Hij vroeg zich af waarom het schip zo overhelde. In de decennia dat hij op zee geweest was, had hij dit nog nooit meegemaakt. Toen hij het alarm in de gang hoorde huilen, voelde hij de sensatie van angst en opwinding weer die hij ook had gevoeld toen hij naar het dreigende kielzog had getuurd en had overwogen om te springen. Een ramp, schoot door zijn hoofd – een prachtige ramp zal me bevrijden.

Het hellen naar bakboord werd kantelen en de noodverlichting boven zijn deur sprong aan. Hij voelde de motoren nu stampen, vaart maken, minstens negentien of twintig knopen, waarom deed de stuurman dat?

Een volgende dreun klonk nog harder dan de eerste. De schok was zo heftig dat hij erdoor uit zijn nest werd geslingerd, tegen een wand van zijn hut aan. Hij lag nu beduusd op zijn buik op de vloer, zijn benen onder het bed, zijn hoofd onder de wastafel, de smaak van bloed in zijn mond. 'Godverdomme,' stamelde hij. Langzaam zette de kantelende vloer hem rechtop. Met zijn armen gespreid en zijn benen over elkaar was het alsof hij aan een kruis gespijkerd was. Hij wist nu zeker dat het een kwestie van leven en dood was en kon niet ontkennen dat het hem opluchtte. Nog even en hij was niet meer. En het mooiste was dat hij niet als laffe zelfmoordenaar, maar als zeeheld zou sterven; als slachtoffer van de elementen. Maar toen hij weer aan zijn kinderen dacht, ging de opluchting over in schaamte. Diepe schaamte.

Er klonk geschreeuw op de gangen. Hij schreeuwde terug en reikte naar de klink, maar kon er niet bij, omdat zijn rechterknie tussen de stalen spijlen van zijn kooi klemde. Hij trok aan zijn been, steeds harder, totdat er een felle pijn door zijn knie sneed, alsof iemand er een mes in stak. Op het schip begon nu alles te trillen en te schudden. De containers beginnen te schuiven, dacht hij met een schok. Maar dan was er geen houden meer aan. Toen hoorde hij lucht door de gangen suizen en glas uiteenspatten en ging zelfs het noodlicht uit.

Al snel kwam het koude water, van zijn tenen naar zijn enkels en hoger. Dit was het dan, dacht hij, dit is het einde – en hij werd overspoeld door herinneringen. De keuzes die zijn brein met hink-stap-sprongen door de tijd heen scheen te maken, verrasten hem. Hoe een Dakota laag over de grachten scheerde en de mensen uit de buurt van blijdschap de straten op renden en elkaar in de armen vlogen. Zijn buurmeisje, dat hij lang niet gezien had, was ook naar buiten gekomen. Ze lachte naar hem met een bleek en mager gezicht. Hoe zijn vader een krijsende, spartelende big slachtte. De dompige lokalen van de scheepvaartschool, zijn eerste vaart over het kanaal naar de sluizen. Hij zag Annigje in haar trouwjurk. De sleutel van hun huis in zijn handpalm. Hij beleefde de eerste huwelijksnacht weer en voelde haar dijen en hartslag, haar ademhaling, haar klamme huid. Hij zag Rosa in haar wiegje liggen duimen. Thomas kroop naar hem toe en trok aan zijn broekspijp, ten teken dat hij opgetild wilde worden. Toen hij zag hoe de arts met duim- en wijsvinger Annigjes ogen sloot, besefte hij pas dat het koude water ter hoogte van zijn kruis was blijven staan, zoals álles in zijn leven sindsdien stil was blijven staan.

Het werd doodstil in het schip. Geen alarmbellen, geen geschreeuw, geen geroffel, alleen nu en dan het kabbelen en borrelen van water. Dertig koppen aan boord en toch zo stil – waar was iedereen? De achtersteven moest op een rots of rif tussen slapende kwallen en zee-egels gezonken zijn, zo'n vijfhonderd voet diep schatte hij, wat zou betekenen dat zijn hut en de rest van het schip nog boven water uitstaken. Hoorde hij nu iemand in de verte om hulp roepen? En nog een stem. Ver weg. Galmend. En toen nog een stem. Het water steeg niet meer, maar uit die koude rond zijn benen kroop nu een intense angst omhoog. Nog nooit had hij zo'n diepe angst gevoeld. Hij begon te rillen over zijn hele lijf en verbaasde zich erover hoe de stilte in de donkere hut zich in hem vastzette, alsof hij zélf stilte werd. Het moest de dood zijn, die rond zijn benen zwom. Nu de dood zo werkelijk werd en zo dichtbij kwam, piste hij van angst in zijn broek. Niet lang daarna moest hij poepen. In het akelige koude water voelde die warmte uit zijn binnenste rustgevend aan. Hij vouwde zijn handen en bracht ze naar zijn mond. Hij herinnerde zich de paar keren dat hij in zijn leven met overgave gebeden had. Vroeger, als jongen, had hij eens aan God gevraagd of zijn vader en moeder minder ruzie konden maken. Omdat het niet geholpen had, was hij er niet mee doorgegaan. Later had hij na de geboortes van zijn kinderen God gedankt en gevraagd of ze een gelukkig en gezond leven mochten krijgen. Tijdens Annigjes ziektebed had hij weleens samen met haar willen bidden, maar toen had zij het niet gekund, omdat ze zich niet wilde overgeven aan een God die haar ziekte geschapen had. Na haar dood had hij God vaak uitgescholden. Maar nu hij in doodsnood was, liet hij elke weerstand varen en vroeg hij God om vergeving.

Steeds kouder werd hij. Zelfs zijn ingewanden schenen onderkoeld te raken, alsof het zeewater door zijn darmen stroomde. Hij leunde met zijn hoofd tegen de stalen wand en sloot zijn ogen. Hij ademde steeds langzamer en zijn hart klopte zwakker en zwakker. Hij begon te klappertanden, maar in plaats van kouder kreeg hij het plotseling warmer. Hij zag zichzelf nu van bovenaf, tot aan zijn middel in het water. Hij begon een fel licht uit te stralen. Toen hij zijn ogen opende, lag hij in een schommelend roeibootje en danste de zon op het water. Hij voelde de stekende pijn in zijn knie weer.

'Good morning, sir,' klonk een diepe mannenstem, 'you're safe now, sir.'

In de verte, boven groene heuvels, stond de zon. Zo laag en toch al warm. Hij zou voor het eerst voet aan land in Ghana zetten, schoot door zijn hoofd – en het laatste wat hij zag, voordat hij zijn bewustzijn opnieuw verloor, was een breed strand met palmbomen en een wit fort op een rots. Toen leek hij weg te zakken in een donzig kussen en werd het stil om hem heen.

Enkele maanden later wandelde hij zwaar leunend op een stok langs de strooien hutten en barakken van golfplaat van een van de grootste sloppenwijken van de stad. Zo ver van de boulevard was hij sinds hij hier revalideerde nog niet geweest en hij betwijfelde of het verstandig was om verder te gaan. Donkere mannen in kleermakerszit in het zand keken hem vies aan. Ze vroegen zich zeker af wat een blanke hier in zijn eentje te zoeken had. Waarom gingen ze de straat niet vegen in plaats van zo doelloos rond te hangen? vroeg hij zich huiverend van de zinloosheid van hun bestaan af. Vrouwen bleven staan en bekeken hem, minachtend, anderen vriendelijk of verleidelijk lachend. Hij was ineens omringd door straatjongens op blote voeten en met niets anders dan een onderbroek aan. Ze trokken hem aan zijn jasje, floten tussen hun tanden, bedelden, en omdat ze niks kregen, begonnen ze hem om zijn manke loopje uit te lachen. Hij was te zwak om ze weg te duwen en met zijn stok zwaaien maakte geen indruk, zodat een jongetje het lef kreeg om naar hem te spuwen. Ze joelden nu en werden steeds brutaler. Hun oogwit glinsterde in hun donkere gezichten. Opnieuw spuwde er eentje naar hem, maar toen een roestige politieauto over de stoffige vlakte kwam aanrijden, doken ze snel een steegje in. Willem trok zijn overhemd van zijn bezwete borst en besloot terug te lopen naar de boulevard.

Zijn werkgever had hem na overleg met de ambassade in de buurt van het scheepswrak willen houden, totdat het veilig geborgen zou zijn, zodat hij de laatste formaliteiten zou kunnen afhandelen. Hijzelf had ermee ingestemd, want ook al was hij niet direct verantwoordelijk voor de ramp, hij had zich er toch schuldig over gevoeld. Bij elke stap ging er een pijnlijke steek door zijn knie. Kruisbanden, meniscus, kraakbeen, knieschijf – ingewikkeld gewricht, maar wat hij van zijn artsen hier in de privékliniek begrepen had, was dat hij nooit meer zonder stok zou kunnen lopen. Bij elke pas van zijn linkerbeen leunde hij er zwaar op. Zo slofte hij over een stoffig pleintje, waar een jonge vrouw op een krukje zat te lezen in de schaduw van een hoge stenen muur. De zon brandde zo fel op zijn kruin dat hij besloot om even naast haar uit te rusten. Hij hoorde haar neuriën, terwijl hij vanuit zijn ooghoeken naar haar keek. Ze had de typische trekken van een Ghanese: hoge jukbeenderen en grote ogen die ver van elkaar stonden. De schelpen aan een koord rond haar hals had ze misschien zelf op het strand gevonden. Ze had een mooi rond gezicht en volle lippen en haar gladde egale huid verraste hem omdat hij van armoede, vermoeidheid of zorgen diepere groeven verwacht had. Hij dacht haar ergens van te kennen, maar wist niet waarvan. Ja, hij had haar eerder gezien, dat wist hij zeker, maar waar? Hoe hij ook groef in zijn geheugen, hij kwam er niet uit. De enige ontsiering van haar gezicht waren de kleine littekens op haar wangen. Hij schatte haar rond de twintig jaar jong. Hij glimlachte naar haar en zag dat ze een dichtbundel van ene Kwesi Brew las. Literatuur, poëzie, daar had hij geen tijd voor vrijgemaakt, maar hij waardeerde het als iemand anders zich erdoor liet raken. Toen hij verder wilde lopen, pakte ze hem razendsnel bij zijn broekspijp, zodat hij niet verder kon. Verbaasd vroeg hij wat ze van hem wilde. Neuriënd begon zij met een doek zorgvuldig zijn schoenen te poetsen en ten slotte wreef ze het leer met wat speeksel op. De dichtbundel was van haar schoot in het zand gevallen.

Aan bedelaars had hij een hekel, maar zij had er eerlijk voor gewerkt. Hij nam zijn beurs en gaf haar kleingeld, dat ze snel in de zak van haar schort stopte. De poort van het schooltje ging open en een zwarte zuster met een witte hoofdkap op verscheen. Ze riep: 'Ama, Ama', gevolgd door een paar zinnen in een taal die hij niet verstond. Het meisje nam de emmer met de dweil naast haar op en ging ermee de poort door. Hij keek naar zijn glanzende schoenen. Tevreden, ontroerd ook, omdat zij een goede daad verricht had. Een kleine daad, maar een goede, en ze had er niks voor teruggevraagd. Pas toen hij haar het geld aangeboden had, had ze het geaccepteerd. Ama was haar naam. Zij had indruk op hem gemaakt, hij wist niet waarom – misschien vanwege haar eenvoudige daad, of haar schoonheid, of allebei. Nog steeds vroeg hij zich af waar hij haar van kende. Werkte ze als schoonmaakster in het hotel of bediende ze in het restaurant? In plaats van helemaal terug naar zijn hotel te lopen, hield hij een eindje verderop, waar het drukker was, een taxi aan.

Hij draaide het raampje dicht tegen het stof en zand dat in zijn gezicht waaide. Langs de weg zag hij kraampjes met bergen ananassen en mango's, vissen bedekt met vliegen, een eindje verderop allerlei kadavers: varkens, koeien, geiten, de buiken stonden bol van de verrottingsgassen, stank en ziektes verspreidend – hij vond het onbegrijpelijk dat niemand ze opruimde. Onder een boom lagen een paar mannen te slapen. Het zand ging over in asfalt en langs de weg vielen hem de steeds hogere bergen afval op; plastic, karton, flessen, alsof er in heel de stad niet één vuilniswagen reed. Vrouwen liepen ertussendoor met kruiken op hun hoofd, tassen om hun schouders, plastic flessen in hun handen. Lemen hutjes met ronde rieten daken wisselden stenen huisjes met daken van golfplaat af. Hier en daar scharrelde een kip of haan. Naarmate ze dichter bij de boulevard kwamen werd de bebouwing hoger en stonden er een paar grauwe betonnen kantoorgebouwen. Hij las de opschriften op de achterruiten van vrachtwagens en busjes: 'God is great' en 'Jezus saves' en 'Trust no one'. Hij wist niet of hij God dankbaar moest zijn dat hij nog leefde. Dat hij hier terechtgekomen was, was in elk geval volmaakt onbegrijpelijk – en misschien is dát de definitie van God, dacht hij: het volmaakt onbegrijpelijke. Maar als Hij dan toch zo onbegrijpelijk was en dat tot in de eeuwigheid ook zou blijven, wat had het dan voor zin om langer bij Hem stil te staan?

Even later, bij een kruispunt, tikte een jongen op zijn raampje en Willem draaide het open. De jongen hield één hand voor zijn oog en zijn andere hield hij bedelend omhoog. Plotseling liet hij beide armen moedeloos vallen. Willem keek vol afschuw in een diepe bloedige wond. De chauffeur schreeuwde iets naar zijn landgenoot, wuifde hem weg, toen trok de taxi op. Willem zag over zijn schouder nog hoe de jongen opzijsprong voor een vrachtwagen, de dorre berm in, waar een paar hoeren stonden. En opeens realiseerde hij zich waar hij Ama van kende. Elke avond stonden er hoeren langs de boulevard, ook in de buurt van zijn hotel. En daar had hij haar gezien. Ze had weleens naar hem geglimlacht.

Hij was in veel arme landen geweest en had talloze armoedige havensteden gezien. Hij had door krottenwijken gelopen, bedelende straatkinderen weggeduwd, broodmagere hoeren geweigerd. En nooit had hij van al dat menselijk leed wakker gelegen. Maar de uitzichtloosheid van het leven van sommige mensen hier greep hem nu toch aan. Hij begreep deze overgevoeligheid niet. Misschien had het lijden van Annigje hem gevoeliger gemaakt. Zijn mond voelde droog en slikken ging moeizaam, alsof zijn keel gezwollen was. De taxi draaide de parkeerplaats van het hotel op. Even later dronk hij op zijn kamer een blikje uit de minibar, toen ging hij vermoeid van de warmte en de indrukken op bed liggen rusten.

Nog een week, dan werd zijn schip naar de haven gesleept en kon hij naar huis. Nu hij weer aan het scheepswrak en aan het ongeluk dacht, kreeg hij het kouder en huiverde hij. Nog niemand had hij verteld over de diepe angst die hij tijdens het ongeluk had gevoeld. En niemand wist hoe bang hij sindsdien was om voor langere tijd alleen te zijn of hoe vaak hij uit nachtmerries wakker schrok. Slapen in het donker kon hij niet meer, er moest altijd een lampje blijven branden. Als hij 's nachts wakker schrok, ging hij vaak naar beneden, naar de barman of de portier voor een praatje, om maar niet alléén te hoeven zijn. Hij verbaasde zich erover hoe levensecht het zwarte water elke nacht weer tot aan zijn middel kwam. Hij had in zijn broek gepist en gepoept en als hij erover droomde, gebeurde dat soms weer. Er waren twaalf gewonden maar geen doden gevallen, goddank. De tweede stuurman had de onverklaarbare stommiteit begaan om te dicht langs de kust te varen. Het scheepswrak, op nog geen drie zeemijl van de kust, was inmiddels opgetakeld en leeggepompt. In plaats van te rusten lag Willem nu zachtjes in foetushouding te huilen met het gevoel alles te hebben verloren. Wat moesten zijn kinderen van hem denken als ze hem zo zouden zien. Wat hadden zijn kinderen nog aan hem. Zo'n wrak van een man.

Door het raampje van de jeep zag Willem de volgende dag de buitenwijken van de stad aan zich voorbijglijden. Waar hij zich over bleef verbazen was dat er nauwelijks straten waren; links en rechts stonden krotten van huisjes en daartussenin lagen zandvlaktes, die tijdens regenbuien in roodbruine modderpoelen veranderden. Nergens asfalt, een stoep, een goot of een putdeksel, alleen maar modder en hier en daar een plas water. Hij voelde de banden van de jeep wegslippen. Eén ruitenwisser was afgebroken, de andere zwiepte zenuwachtig heen en weer.

Brommers reden tegen het verkeer in, taxi's toeterden. Verroeste oude bakken, waar soms zelfs de deuren uit waren gesloopt. Tussen een berg stinkend vuil scharrelde een mager varken.

Hoe verder ze van het centrum vandaan reden, hoe dieper de kuilen in de weg werden, totdat de stad ineens achter hen lag en de weidsheid van het land zich voor hen ontvouwde. Willem had de barman gevraagd om wat meer van zijn land te laten zien en Kofi had hem aangeboden om met hem naar het fort te rijden. Kofi zette de radio aan en luisterde naar het liveverslag van een voetbalwedstrijd tussen Ghana en Zuid-Afrika. Zijn jeep hing vol met vlaggetjes en stickers van zijn voetbalhelden. Nu de weg nog slechter werd, moesten ze langzamer rijden. Langs de weg groeiden een paar cacaobomen met grote rode vruchten. Daar zou hij er nog eens eentje van plukken en naar huis meenemen als souvenir, nam Willem zich voor.

Kofi begon over een nichtje te vertellen dat als verpleegster in Nederland werkte en regelmatig geld opstuurde. Haar toeristenvisum was allang verlopen, maar ze was niet bang om teruggestuurd te worden want er was nauwelijks controle. Logisch, volgens Kofi, want Ghanezen zijn harde werkers. Hij lachte breed. Hij dacht er zelf ook over om het eens in Europa te gaan proberen, hij kende een paar Ghanese handelaren die in Nederland tweedehandsauto's opkochten, deze naar Ghana verscheepten, ze hier opknapten en doorverkochten. Willem luisterde en knikte nu en dan.

In een dorpje renden jongens en meisjes schreeuwend en lachend met de jeep mee, terwijl Kofi maïskolven naar ze gooide, die hij voor dit doel bij zich had. Even stond het Willem tegen om als rijke blanke in zo'n terreinwagen eten naar die kinderen te gooien – alsof hij op safari was en de aapjes voerde –, maar al snel kon hij erom lachen omdat de kinderen er zelf zo blij van werden. Ze gooiden nog een paar laatste kolven. De kinderen vochten erom, toen waren ze het dorpje uit.

De grond werd steeds roder tussen het dorre gras en het rode stof lag als een deken over de bomen, planten en daken van de huisjes langs de weg. Naar het westen reden ze, waar in de verte op een heuvel aan zee het witte fort opdoemde dat Willem net na het ongeluk als in een droom had gezien.

De rest van die dag zwierven ze daar rond; Willem en Kofi, die over de gruwelen van de slavernij vertelde. Hoe mannen, vrouwen en kinderen na een wekenlange voettocht als vee de kerkers van het fort in gedreven waren. Het viel Willem op hoeveel geweld er kennelijk voor nodig was om een mens tot slaaf te maken. De wil om vrij te zijn is even sterk als de talloze ijzeren ringen en kettingen, leren riemen en zwepen die hij telde – en het duizelde hem bij de gedachte aan het gekerm, het geschreeuw en gekreun, de vernederingen en de schaamte. Op een binnenplaatsje werden de mooiste slavinnen aan de Nederlandse gouverneur getoond, vertelde Kofi. Toen ze weer buiten stonden, zag Willem in gedachten de machtige slavenhalers in de verte op zee met de zeilen gestreken, dobberend, wachtend op de sloepen vol slaven. Zijn eigen voorouders hadden slavenhalers gebouwd. Het gegeven dat zijn land zo machtig geweest was en dat zijn voorouders in het bijzonder zo'n belangrijke rol in de geschiedenis gespeeld hadden, vervulde hem met trots, maar tegelijkertijd voelde hij zich opgelaten, bijna schuldig over het onmetelijke leed dat hier was aangericht. Zoals vermoedelijk elke bezoeker aan het fort was hij ontdaan en geschokt. Kofi legde een hand op zijn schouder en vertelde wat Willem al wist; namelijk dat niet alleen de Europeanen maar ook de Ghanezen zelf schuldig waren geweest. Er waren geen woorden voor wat Ghanese slavenhandelaren hun eigen volk hadden aangedaan. Maar zij waren er minder rijk van geworden dan de Nederlanders, vulde Willem hem aan, en het fort had lang onder het bewind van De Republiek gestaan.

Op de terugweg keek Willem uit over de grasvelden met hier en daar een majestueuze acacia of kapokboom, soms enkele bij elkaar. De zon zakte achter de horizon, groot en rood, en reisde achter de bomen, struiken en graspollen met dezelfde snelheid als de jeep met hen mee. Hij was dankbaar dat hij het fort had kunnen zien, zonder meteen te begrijpen waarom. Misschien omdat hij zich nu bewuster was geworden van de overzeese geschiedenis van zijn voorgeslacht. Hij had erover gelezen en gehoord, maar hij had het nooit van zo dichtbij gezien. Een geschiedenis waar hij niks meer aan veranderen kon, hoe graag hij het ook zou willen. Hij was ontroerd en voelde zich nu met alles verbonden; met de wolkjes, roodgloeiend in de blauwe lucht, met de droge aarde, het zand, het gras.

De dorpjes langs de weg volgden elkaar steeds sneller op, de zandweg ging over in gruis, en steeds meer brommers, auto's en volgeladen busjes kwamen hen tegemoet. Ze kochten bij een stalletje een paar flessen water en mango's, die ze enkele kilometers verderop bij een druk kruispunt vanuit de jeep aan een paar straatkinderen uitdeelden.

Terug op zijn hotelkamer wilde Willem zijn kinderen vertellen over deze dag. Hij wou dat ze hier waren, bij hem. Hij wou dat Thomas en Rosa het fort ook eens zouden zien. En opeens miste hij ze meer dan ooit. Hij nam de hoorn van de haak en draaide het landnummer, netnummer, het nummer aan de gracht. Terwijl hij wachtte totdat er werd opgenomen, zag hij de lange marmeren gang van zijn huis voor zich met het schilderij van de trotse Ferdinand Janszoon, de kroonluchter en de trap naar boven, waar nu de oude bakelieten telefoon op het dressoir moest rinkelen. Hij vroeg zich af hoe het met ze ging. Er werd opgenomen met: 'Ja wat nou weer?'

'Thomas?'

'Dag, pa,' klonk het aarzelend, alsof Thomas iemand anders had verwacht.

'Hoe is het met je, m'n jongen?'

Thomas zei dat hij tijdens gym zijn pink had verstuikt. Willem kon Thomas nauwelijks verstaan vanwege de muziek op de achtergrond en vroeg of hij de radio wat zachter wilde zetten, maar Thomas zei dat hij haast had en moest ophangen, omdat zijn vrienden aan de deur stonden.

'Geef je Rosa even?' vroeg Willem, maar Rosa was de stad in.

Teleurgesteld over het vluchtige contact met zijn kinderen ging Willem voor het raam staan en keek naar buiten. Het begon te schemeren. In de diepte zag hij het verkeer over de stoffige boulevard rijden. Langs de boulevard liepen weer prostituees, zag hij nu. Sommigen van hen waren nauwelijks volwassen. Een taxi stopte, een meisje stapte in, op weg naar een hotel of bar. Hij dacht aan Ama. Overdag met emmer en dweil in de weer en 's avonds laat tippelen. Maar wanneer sliep ze dan? Misschien was ze toch jonger dan hij vermoed had, want hoe kon ze er met zo'n zwaar leven anders nog zo mooi uitzien? Hij wendde zich van het raam af en keek naar de schoenen die zij gepoetst had. Hij had ze sindsdien niet meer aangedaan omdat ze meteen weer stoffig zouden worden. Hij wilde iets voor haar terugdoen. Iets voor haar betekenen. Het besef dat hij goed voor haar kon zijn, maakte hem wat vrolijker.

De volgende dag, tijdens zijn wandeling, zag Willem haar van een afstandje al op het krukje zitten lezen. Ze droeg behalve de ketting van schelpen rond haar hals nu ook twee houten oorhangers. Het gewicht rekte haar lellen uit, maar niet zo ver dat het lelijk werd. De bovenste knoopjes van haar katoenen blouse waren geopend, zodat Willem de zachte rondingen van haar boezem kon zien. Zij was op het toppunt van haar schoonheid, het hoogtepunt van haar vruchtbaarheid, fantaseerde hij, en hij werd er een beetje zenuwachtig van, zoals vroeger als hij na een dag op de scheepvaartschool in de kroeg een meisje aansprak. Hij vroeg of het mooi was, wat ze las. Ama keek glimlachend naar hem op, knikte, en zei dat de strekking van het gedicht was dat alles verandert. In haar korte kroeshaar en op haar voorhoofd glinsterden een paar zweetdruppeltjes. Terwijl ze opnieuw zijn schoenen begon te poetsen, kwam de zuster erbij staan die haar de dag ervoor geroepen had. Willem begon een praatje met de zuster alsof de schoenenpoetsende Ama niet al zijn aandacht had. Hij stelde zich voor als de kapitein van het schip dat voor de kust verongelukt was en dat binnenkort geborgen zou worden. Hij vertelde dat hij in de kliniek aan de boulevard revalideerde. Ama keek nu en dan van haar werk nieuwsgierig naar hem op. Toen zijn schoenen glansden, bedankte Willem haar en bood hij haar een paar dollar aan. Hij zei dat ze morgen weer zijn schoenen mocht poetsen, waarna ze het geld glimlachend in haar schortzak deed. De zuster vertelde dat Ama op een compound achter de school woonde. Ze maakte een paar keer per dag de toiletten schoon om zichzelf te kunnen onderhouden. Ze was enkele jaren eerder in de stad aangekomen na een lange voettocht uit haar dorp in het noorden van het land. De zuster legde haar arm om Ama's schouder. Een vlieg vloog rond Ama's hoofd, de zuster ving het insect razendsnel en kneep het tussen duim- en wijsvinger fijn. Voordat de zuster met Ama door de poort ging, vroeg Willem of Ama straks tijd had om met hem een hapje te eten. Ze zei dat het een eer was en dat ze vanmiddag hier op hem zou wachten.

Het vooruitzicht met Ama samen te zijn maakte hem vrolijk en gaf hem energie. Hij besloot om meteen inkopen te gaan doen in een van de winkelstraten een eindje verderop. Een man met een berg sinaasappels in een schaal op zijn hoofd kwam voorbij en Willem hield hem staande en kocht er een paar. Daarna kocht hij flesjes water, geroosterde maïskolven en gefrituurde yam. Toeterend reed een verroeste pick-up met varkens in de bak tussen de kramen en stalletjes door. Hij kwam langs een fietsenmaker, die onder een palmboom een band plakte. Even overwoog hij om een fiets voor Ama te kopen, maar misschien had ze er al een. Aan de overkant verkocht een vrouw shampoo, tandenborstels en deodorant. Gezellig vond Willem het, deze handel in de open lucht, deze winkeltjes en bedrijfjes zonder dak of muren. Een papegaai vloog van de ene palmboom naar de andere met hem mee. Toen hij slippers met houten zolen en goudkleurige bandjes te koop zag, schoof er schaduw over hem heen en begon het te regenen. De Ghanezen doken onder elke parasol, elk afdak, elk stuk karton dat ze konden vinden, alsof de druppels hagelstenen waren. Maar hij kocht de slippers zonder haast.

Ama wachtte hem die middag inderdaad op. Ze deed de slippers meteen aan haar eeltige voeten en rekte zich uit. Ze leek langer en slanker, met die slippers aan, hoe dun de zolen ook waren. 'You like them?' vroeg Willem onzeker – en ze knikte glunderend en dankte hem. 'You're welcome,' zei hij, blozend om de aandacht van een meisje van wie hij de vader had kunnen zijn. Hij zei dat hij op het strand wilde eten en vroeg of ze het goed vond. Ze antwoordde dat ze voor zonsondergang terug wilde zijn. Toen liep ze op haar nieuwe slippers met hem mee, de steegjes door, naar het strand, waar ze naast hem in het zand ging zitten.

Terwijl ze aten en dronken, kwam in de verte een vissersloep aanvaren. Twee kerels renden de zee in en trokken de boot het strand op. De netten lagen vol spartelende vissen, de fuiken vol kreeften met prehistorische scharen. Een zeeslang van wel een meter lang werd terug de zee in geslingerd. Met hun gespierde, donkere lijven deden de vissers hun zware werk. Ama zei weinig, maar ze luisterde geduldig naar Willems verhalen. Hij vertelde over thuis, over zijn twee kinderen, Thomas en Rosa, die hij miste, en voor wie zijn moeder zorgde sinds Annigje aan kanker was overleden. Hij liet Ama de foto's van zijn kinderen zien, die hij altijd bij zich droeg. Ze fluisterde iets in haar eigen taal en knikte, telkens weer knikte ze, en er verscheen een lach op haar gezicht toen ze de foto's van zijn engelenblonde kinderen zag; de mooiste lach die Willem van haar gezien had. Hij verbaasde zich over zijn eigen openhartigheid; gewoonlijk sprak hij niet zo makkelijk over thuis. 'Do you know what that is Ama, cancer?' vroeg hij nu. En Ama keek hem droevig aan. Hij vertelde dat hij het na Annigjes dood niet langer dan een paar weken had uitgehouden thuis. 'Can you imagine that, Ama?' vroeg hij. Ama knikte geduldig en zei: 'You are a good man, I can feel that.' Het luchtte hem op dat zij hem begreep, en het was fijn om tegen haar te praten en samen te zijn. Ze aten zwijgend verder. Toen ze een sinaasappel pelde, viel hem op hoe slank haar vingers waren en hoe mooi ze haar nagels gevijld had. En ook viel hem op dat ze een smallere neus had dan de meeste Ghanezen en dat haar huid iets lichter was. Misschien stroomden er een paar druppels achttiende-eeuws Noord-Europees bloed door haar aderen, van een Nederlandse gouverneur of generaal, dacht Willem, en hij vroeg zich verwonderd af hoe groot de kans was dat het een druppel bloed van een Noordgeest zou zijn – helemaal onmogelijk was dat niet natuurlijk.

Maar nu was het Ama's beurt om te vertellen, vond hij, en hij luisterde even geduldig naar haar als zij naar hem geluisterd had. Ze vertelde nadenkend, met lange tussenpozen, terwijl ze met grote ogen naar de horizon staarde, dat ze spaarde voor een stenen huisje. Meer dan een stenen huisje verlangde ze van het leven niet. Ze werkte er hard voor, ze spaarde ervoor, en ze wist zeker dat ze gelukkig zou zijn zodra ze het zou kunnen laten bouwen.

Willem was even stil, ontroerd door de eenvoud van haar droom. Hij voelde zich met haar verbonden, ook al kende hij haar nog maar zo kort. Hij zou haar zo'n stenen huisje kunnen geven. Daar moest hij maar eens over nadenken, besloot hij, terwijl hij naar zee staarde. Hij overwoog om naar haar verleden te vragen, naar haar dorp en waarom ze daar was weggegaan, maar hij besloot haar wat meer tijd te geven om hem in vertrouwen te nemen.

Ze keken zwijgend hoe de zon zakte, toen klopte Willem het zand van zijn broek en stond ook Ama op. Samen liepen ze naar het schooltje terug, waar Ama de dweil uit de emmer trok. Terwijl ze hem uitwrong, vroeg ze of Willem morgenavond bij haar wilde komen eten, toen ging ze de schoolpoort door.

Bij Ama gaan eten, moest hij dat wel doen? vroeg Willem zich even later in zijn hotelkamer af. Hij betwijfelde of haar wijk van rieten huisjes 's avonds wel veilig was. En wat zou hij daar te eten krijgen? Hij had al eens dysenterie opgelopen en het had weken geduurd voordat hij er helemaal van hersteld was. Aan de andere kant miste hij Ama nu al, terwijl hij haar zojuist nog had gezien. Was het mogelijk dat hij verliefd geworden was? Verliefd op een Ghanese prostituee – het idee schokte hem. Allerlei gevoelens gingen door hem heen, van spijt en schuld jegens Annigje, maar ook van opwinding. Het zou vanzelfsprekend een kansloze liefde zijn. Niet alleen vanwege het leeftijdsverschil en de onmogelijke machtsverhouding, maar ook omdat hij over een paar weken terug zou gaan naar Nederland. Hij kon niet ontkennen dat hij haar wilde redden. Dus wat als zij eenmaal gered was? Of als zij helemaal niet gered wilde worden? En waarvan wilde hij haar eigenlijk redden, van haar leven hier? Haar leven zoals het hier was? Daar kon hij toch niet over oordelen? En dacht hij nu werkelijk dat zij verliefd op hem zou kunnen worden? Zo'n oude kerel met een kapotte knie, een loopstok, diepe inhammen, een grijze stoppelbaard, groeven in zijn gezicht, een rotte kies in zijn onderkaak en het leed dat Annigje had moeten ondergaan nog in zijn hart. Voor de spiegel streek hij zijn halflange grijze lokken uit zijn gezicht en keek hij in zijn vermoeide ogen. En toch voelde hij nieuwe energie door zijn aderen stromen, alsof er iets in hem was begonnen te gloeien, iets dat heel lang dof en koud was geweest. Hij had er een fortuin voor overgehad om haar hier te hebben, bij hem, op zijn kamer. Niet als hoer, maar als geliefde. Hij sloot zijn ogen en zag haar voor zich zoals ze naast hem op het strand had gezeten. Haar profiel, haar lippen, haar neus en hoge voorhoofd. Ze straalde rust uit, een kalme tevredenheid. Hij besloot om op haar uitnodiging in te gaan en bij haar te gaan eten.

De volgende namiddag liet Willem zich door Kofi afzetten op het pleintje en vroeg of hij hem rond tien uur wilde komen ophalen. Hij keek de jeep tot aan het einde van de zandsteeg na en ging toen op Ama's krukje zitten wachten. Hij veegde met zijn mouw het zweet van zijn voorhoofd. Het was deze week 's avonds telkens opgeklaard en hij verwachtte ook de komende uren geen regen meer. In de verte zag hij iemand door de zandsteeg lopen. Ama had hem ook al gezien, want ze zwaaide. Zijn hart maakte een sprongetje – en hij liep naar haar toe. 'Come, come,' zei ze vrolijk en ze ging een gammel houten deurtje door, waarna Willem aarzelend de donkerte in stapte. Binnen rook het naar vuur en as, en het duurde even voordat zijn ogen gewend waren. Hij had zich weleens ingebeeld hoe het leven in zo'n hutje moest zijn, maar toch verbaasde hij zich over de primitiviteit nu hij het in het echt zag. Langs een muur ontwaarde hij een bed van takken en stro op de grond, ernaast lag een geitje. Hij vroeg zich af of het beest nog leefde, zo mager en pezig als het was, maar toen zag hij oogwit glinsteren en één tand glimmen. Tegen de muur erboven hing een spiegeltje, in het midden van de hut stonden een tafeltje en twee krukken. Een spin zo groot als een muis rende over de vloer en Ama stampte op de grond, achter de spin aan, totdat die onder de deurkier verdwenen was. Ze lachte om zijn geschrokken gezicht. Even vroeg hij zich af of het niet verstandiger was om terug te gaan naar zijn hotel, maar tegelijkertijd vond hij het spannend om Ama's leven van zo dichtbij te ervaren.

Ama zei dat er nog pindasoep over was en dat ze er *fufu* bij zou maken. Ze opende een tweede deurtje, aan de andere kant van de hut, zodat het zachte avondlicht naar binnen viel. Willem ging achter Ama aan een plaatsje op, omringd door soortgelijke huisjes. In het midden groeide een baobab. De dikke stompe takken leken wel op wortels, alsof de boom door een reus uit de grond was getrokken en met de kruin terug in de aarde was geplant. Hij klopte met zijn vlakke hand op de dikke rimpelige stam, minstens twintig meter hoog en duizend jaar oud, en keek omhoog naar de takken. Hij had nog nooit iets aangeraakt dat zo oud was en nog leefde, besefte hij, terwijl hij zich naar Ama omdraaide. Ze sneed een paar dikke cassaves in stukken. Willem ging op de grond zitten met zijn rug tegen de boom. Ama vertelde dat het hier zo rustig was omdat er een trouwerij was en dat het feest een paar compounds verderop al dagen duurde. Ze stak het vuur onder een ketel met water aan, sneed een paar groene bakbananen in stukken en liet ze samen met de cassave koken. Vervolgens stampte ze met een lange stok de gekookte vruchten in een grote aardewerken vijzel tot een stroperige massa, waarna ze een van de rieten huisjes binnenging. Ze kwam terug met een gedeukte zwartgeblakerde pan en hing hem boven het vuur. Toen Willem de pindasoep rook, glimlachte hij, zo heerlijk was de geur. De damp steeg op naar de takken van de baobab en hij legde zijn hoofd in zijn nek en keek naar de blaadjes. Hij vroeg zich af wat er zich in duizend jaar onder zo'n boom allemaal had afgespeeld en welke verhalen er verteld waren. Er overkwam hem iets wonderlijks. Terwijl hij tegen de stam zat, scheen er een warmte zijn lijf in te stromen, een geruststellende warmte, door de wortels uit de aarde opgezogen en via de bast aan hem doorgegeven – hij verzonk in een gelukzalige sentimentele roes. Dromerig keek hij naar Ama terwijl ze de soep roerde. Ze had de slippers uitgedaan en stond op blote voeten bij het vuur, haar voet raakte bijna een gloeiende sintel. Hij waarschuwde haar ervoor, maar ze trapte het kooltje terug het vuur in. Ze liet hem de dikke laag eelt op haar voetzolen zien, maar hij keek vooral naar haar mooie, slanke gladde onderbenen met de enkelbandjes van kleine schelpen. Hij kon niet ontkennen dat zij hem opwond.

Het begon te schemeren op de compound. De lucht werd donkerder en de eerste sterren verschenen boven de rieten daken. Een paar kinderen kwamen terug van het feest, alsof ze de soep hadden geroken. Willem kreeg van Ama een kom vol, waarna ze naast hem kwam zitten, de schaal met *fufu* zette ze tussen hen in. Hij trok een stukje van de *fufu*, kneedde die tot een klein balletje en doopte het in de soep, zoals Ama hem voordeed. En terwijl het onder de boom steeds donkerder werd, stelde Ama de kinderen aan hem voor. Daar kwam Yaw de compound op geslenterd, een jongetje van negen jaar oud. Yaw keek een beetje schuw naar hem, maar ging toen zitten en begon gulzig te eten. En toen kwamen ook Afia en Nsia rond het vuur zitten, twee zusjes, zei Ama. En Kwasi. En Danso. Ama deelde de soep uit, aaide Danso over zijn hoofd, lachte naar Afia. Abena en haar broertje Kwani kwamen nieuwsgierig bij Willem zitten en vroegen waar hij vandaan kwam.

Het werd nu snel donker op de compound terwijl ze aten, dronken en praatten. Krekels tjirpten, een zuchtje wind deed de bladeren ritselen. Willem besefte hoe clichématig en tegelijkertijd hoe echt het allemaal was. Hij moest aan thuis denken, waar het misschien miezerde en waar Rosa en Thomas tegenover hun oude stugge oma aan de grote tafel onder de kristallen kroonluchter zaten te eten. Misschien lag het kaartje dat hij weken eerder op de post gedaan had tussen hen in en hadden ze het over hem. Ama zat nu aan de andere kant van het vuur, twee jongetjes zaten tegen haar aangekropen. Ze leunde soms opzij, zodat ze naar hem kon kijken. Toen hun ogen elkaar ontmoetten, glimlachte zij – en glimlachte hij terug. Pas toen de pan leeg was en het killer begon te worden, zag hij dat het al tien uur geweest was en besloot hij terug te gaan naar het pleintje, waar Kofi hem in zijn jeep opwachtte. Ama was met hem meegelopen. Het viel hem zwaar om afscheid van haar te moeten nemen. Hij vroeg zich af of ze vanavond nog naar de boulevard zou gaan. Hij wilde het haar vragen, maar durfde niet, bang dat ze zich ervoor zou schamen. Hij wilde haar een hand geven, maar zij omhelsde hem even. Ze rook naar vuur, as en zand – de geboorte van de aarde. Voordat hij in de jeep stapte, vroeg hij haar om morgenavond bij hém te komen eten. Om negen uur spraken ze af in de lobby van zijn hotel. Als ze een taxi wilde nemen, zou hij haar die terugbetalen, beloofde hij. Kofi reed hem terug door de donkere stoffige stad, waar hier en daar vuren brandden.

De volgende avond om kwart voor negen stond Ama inderdaad in de hotellobby op hem te wachten. Nu Willem haar in dit decor van marmeren vloeren, spiegels en kroonluchters zag staan, een beetje verlegen in een hoek bij een fauteuil, viel hem pas op hoe armoedig ze eruitzag. Haar rok en blouse waren versleten, haar voeten in de slippers vies en ze rook een beetje naar zweet. Ze had een bedelares kunnen zijn. Hij schaamde zich tegenover de receptionistes: een blanke kerel met zo'n meisje, totdat hij zag dat geen van beiden opkeek. Hij vroeg of ze eerst zijn kamer wilde zien, voordat ze aan tafel zouden gaan, zodat ze zich wat zou kunnen opfrissen. Ze knikte zonder hem aan te kijken en plukte zenuwachtig aan haar blouse. Zwijgend stapte hij met haar in de lift. Ama keek met grote ogen naar de cijfers die boven de liftdeur versprongen.

Hij liet haar zijn uitzicht over de witte stranden zien, de blauwe baai, de haven in de trillende verte en nóg verder weg de containerschepen, die stil leken te liggen aan de horizon. Ook zijn schip lag daar nog, en als je heel goed keek kon je het met 't blote oog zelfs zien. Er lagen twee andere schepen omheen en een sleepboot lag al klaar, want het zou binnen enkele dagen versleept en geborgen worden. Ama raakte het raam aarzelend met haar vingertoppen aan en keek lang naar het uitzicht. Daarna liet hij haar een kijkje nemen in de badkamer, die de twee kamers van zijn suite met elkaar verbond. Hij vroeg of ze in zijn marmeren bad met de vergulden kranen wilde baden. In de tussentijd zou hij voor haar een jurk kopen voor het diner. Vond ze dat een goed idee? Ze knikte, zei dat hij een lieve man was en noemde haar maten. Het deed hem goed om lief voor haar te zijn. Ze rook aan elk flesje geurolie, shampoo en zeep, waarna hij beloofde haar niet te zullen storen. Hij draaide de kraan open en liet haar alleen. Terwijl zij baadde, ging hij naar beneden, naar de drogisterij in de lobby, waar hij deodorant, lippenstift en oogschaduw voor Ama kocht. In de modezaak ernaast kocht hij schoenen met een hakje en een zonnebloemgele jurk. Nadat hij op de badkamerdeur geklopt had en hem op een kier geopend had, hoorde hij het water ruisen en sloeg de stoom in zijn gezicht. Hij stak de jurk naar binnen en probeerde niet te kijken, gunde Ama haar privacy, maar kon het tóch niet laten om te gluren. In de badkuip met de gouden leeuwenpoten zeepte Ama haar donkere armen, borsten en dijen in. Hij fantaseerde erover de badkamer in te gaan, haar lippen te kussen, haar borsten en buik. Met zijn gezicht in haar schoot bewoog ze haar heupen, kreunend, schokkend, en ze greep in zijn haar. De jurk lag over een stoel naast het bad en hij kon niet wachten haar er dadelijk in te zien.

Na een poosje kwam Ama in haar nieuwe jurk de kamer in. Ze rook heerlijk naar zeep en keek verlegen naar de grond. In de jurk kwamen haar vormen nog beter uit – haar stevige borsten, slanke taille, mollige heupen en bovenbenen – en hij kon niet ontkennen dat ze hem mateloos opwond, misschien ook vanwege haar armoede, die haar zo machteloos maakte. Hij kon met haar doen wat hij wilde. Als hij haar zou verkrachten en zij zou aangifte doen, zou niemand haar serieus nemen. Juist dit besef, dat hij het straffeloos zou kunnen doen, álles met haar zou kunnen doen wat hij maar wilde en het toch níét zou doen, omdat hij haar lief vond, omdat hij haar respecteerde, dát gaf hem het machtige gevoel een held te zijn. Terwijl hij naar haar keek, vanuit zijn fauteuil bij de minibar, trok hij een blikje bier open en vroeg hij of ze zich wilde omdraaien. Hij zou alleen naar haar kíjken, besloot hij, naar deze prachtige vrouw.

Ama spreidde haar armen en draaide zich om, zodat hij haar van achteren kon zien. Zij had de mooiste billen van Accra. Nadat ze zich had opgemaakt, waardoor haar gezicht nog sprekender werd, ging ze met hem mee naar het restaurant op de twaalfde verdieping. Er klonk een kalm muziekje uit de speakers en het was er rustig als altijd. De afgelopen tijd was hooguit de helft van het aantal hotelkamers bezet geweest, schatte Willem. Veelal door zakenreizigers, alleenstaande mannen en een enkel gezinnetje. Hij had hier al vaak gegeten maar het was hem gaan vervelen, dus de laatste tijd at hij op zijn kamer voor de televisie. Nu, met Ama tegenover hem aan tafel, voelde hij zich minder alleen, ook al zei ze weinig. Ze mocht bestellen wat ze wou, zei hij, geen enkel probleem. De champagne werd al ingeschonken. Ama koos voor kreeftensoep, tonijn en een sorbet na. Tot zijn tevredenheid scheen zij goed opgevoed, want ze vouwde haar servet op haar schoot open en at met mes en vork. In haar opvallende jurk was ze een prachtige verschijning en trok ze ook de aandacht van andere mannen in het restaurant, viel Willem op.

Na het dessert bestelde hij nog een fles champagne en schonk de ober de glazen vol. Het was nu helemaal donker geworden buiten en zij spiegelden samen in het raam. De tafeltjes om hen heen waren leeg, zelfs de kaarsjes brandden daar niet meer; nog even en de ober zou de rekening wel komen brengen. Hij keek Ama aan, zij keek terug, over het flakkerende kaarsje heen. Werden haar ogen dromeriger of kwam het van de alcohol? vroeg hij zich af. Hij vond dat het te laat voor haar was om nog naar huis te gaan en zei dat ze in de tweede kamer van zijn suite mocht slapen. Ze knikte en ging zwijgend met hem mee. Ze zei dat ze moe was en wel meteen in slaap zou vallen op zo'n zachte matras.

'Thank you, sir,' zei ze zachtjes.

'You're welcome, Ama,' antwoordde hij.

Was het werkelijk zo of verbeeldde hij zich maar dat ze een kleine kniebuiging maakte voordat ze de deur sloot?

Hij opende de minibar voor een slaapmutsje en ging daarna languit op bed liggen. Het deed hem goed dat Ama in de kamer naast de zijne lag, alleen gescheiden door hun gezamenlijke badkamer. Een fijn idee was het om zo dicht bij haar te slapen. Temeer daar het een aangenaam cadeau voor haar moest zijn om in zo'n luxe kamer te verblijven zónder daarvoor met haar lichaam te hoeven betalen.

Hij probeerde te slapen, maar kreeg het steeds kouder onder de deken. Half in slaap voelde hij de schok weer die hem uit bed geslingerd had, en hij hoorde lucht door de gangen suizen. Voor zijn geestesoog sijpelde er water onder de deur door, donker als geronnen bloed. Steeds hoger kwam het, totdat zijn bed bewoog en begon te drijven. Slaapdronken ging hij uit bed en waadde naar de badkamer, met moeite zijn evenwicht bewarend alsof het hotel een deinend schip was. Hij leegde zijn blaas en zag door het sleutelgat dat op Ama's kamer nog licht brandde. Zachtjes ging hij naar binnen. Haar bedlampje brandde, op haar kussen lag de Bijbel uit de lade van het nachtkastje. Ze had een witte handdoek rond haar lichaam geknoopt, van haar oksels tot haar heupen. Zo stond ze voor het donkere raam.

'Twenty dollar, sir,' fluisterde ze – en ze knoopte de handdoek los en stapte naakt in bed.

'No, no, Ama, I just want to talk,' stamelde hij, terwijl hij op de rand van haar bed kwam zitten. Hij vertelde dat hij akelig gedroomd had en niet meer kon slapen, als een klein kind op de bedrand van zijn moeder, waarna zij zwijgend het dekbed aan zijn kant opensloeg. Terwijl hij naar de contouren van haar lijf keek, voelde hij de verleiding sterker worden en werd het steeds moeilijker om weerstand te bieden aan de lust.

'Don't worry, sir, it's okay,' zei ze zachtjes, toen sloeg ze de deken om hem heen en deed ze het licht uit.

Hij legde een arm om haar heen en zag haar oogwit in het schemerduister glinsteren.

'So you had a nightmare, sir,' zei ze zachtjes in zijn oor.

Het werd helemaal stil in de kamer. Ze nam zijn hand en legde die op haar borst. Hij streelde haar en nam daarna ook haar andere borst in zijn hand. Hij gaf zich over aan de roes, likte haar zilte huid en legde zijn handen rond haar heupen. Zij opende haar benen en tilde haar bekken op, waarna hij zijn handen onder haar billen schoof. Zwaar ademend ging hij bij haar naar binnen. Zij kreunde onder hem. Steeds dieper en sneller ging hij, terwijl hij uit zichzelf leek los te komen. Terwijl zijn lijf zich daar beneden met Ama verstrengeld had, scheen hijzelf boven het bed te zweven, steeds hoger, tot tegen het plafond. Toen rolde hij van haar af en voelde hij zijn warme zaad over zijn buik vloeien. Zijn hart bonkte achter zijn slapen, terwijl hij van de inspanning bijkwam. Zijn geest was niet in staat om zijn steeds lomer wordende lichaam uit bed te krijgen en in plaats daarvan nestelde hij zich tegen Ama aan. De hemelse gedachte dat hij niet in zijn eentje hoefde te slapen, viel over hem heen als een zachte deken. Hij genoot van het vooruitzicht dat hij straks wakker zou worden, naast haar.

Maar de volgende ochtend lag Willem alleen in bed. Ama was nergens te bekennen.

Beneden, bij de receptie, zeiden ze tegen hem dat Ama heel vroeg al naar beneden gekomen was. Ze had iets voor hem afgegeven, daarna was ze naar buiten gegaan. Met het dichtgevouwen papiertje ging Willem terug naar zijn kamer.

Kwesi Brew: The Mesh

We have come to the cross-roads
And I must either leave or come with you.
I lingered over the choice
But in the darkness of my doubts
You lifted the lamp of love
And I saw in your face
The road that I should take.

Hij ging voor het raam staan. Lang staarde hij naar de oceaan, zichzelf afvragend wat hij van Ama en het gedicht moest denken. Hij herinnerde zich de woorden van Kofi over diens nichtje in

Nederland. Ama zou een paar jaar bij hem kunnen komen werken om zo haar stenen huisje bij elkaar te verdienen. Hoe lang moest zij daarvoor werken? Eén jaar, twee jaar? Hij zou haar hulp in huis goed kunnen gebruiken, met zijn knie. En zijn moeder zou hem ook wel dankbaar zijn. Het idee dat Ama met hem zou meegaan, wond hem op; zo'n mooie jonge Ghanese meid achter de zware eikenhouten deur van zijn grachtenpand.

Hoofdstuk 3

TERWIJL de haas in de oven braadde, diende Rosa in de eetkamer de soep op. Haar vader en broertje zaten aan de lange gedekte tafel klaar. Wie in een van de kerstballen van de zilverspar keek, kon de kamer in miniatuur weerspiegeld zien: de vlammetjes van de kaarsen op tafel flakkerend in een tochtvlaag, de kroonluchter erboven met de armen vol glinsterende kristallen, de gesloten velours gordijnen, en Willem aan het hoofdeinde.

'Gezellig,' zei hij.

'Met z'n vieren was gezelliger geweest,' antwoordde Rosa.

'Zeker, maar we denken aan haar, we zullen over haar praten, haar herinneren.'

'Ama?'

'Niet weer, Rosa, alsjeblieft niet! Ama heeft al genoeg verpest. Dat schilderij krijgen we misschien nooit meer terug. Nooit meer!' Hij keek Rosa zo treurig aan dat ze er even stil van werd.

'Wie schept op?' vroeg Thomas.

Rosa schepte zwijgend op, terwijl Willem zijn servet op zijn bovenbenen openvouwde. Hij nam benieuwd een hap en zei na een korte stilte dat het lekker was. Hun lepels tikten tegen de borden, nu en dan slurpte iemand. Toen begon Willem over Annigje te vertellen. Over de jaren waarvan zijn kinderen zich nog maar weinig herinnerden. Over hoe zij de eerste jaren van de verbouwing van huize Noordgeest had doorstaan. Het ingewikkelde project van vergunningen, monumentenzorg en bouwmeesters. Ze had geduld getoond, ondanks vertragingen en waterschade, en tussendoor nog de kinderen gebaard. Ja, Thomas en Rosa konden trots op hun moeder zijn.

'Sloeg je mama ook als ze iets deed wat je niet beviel?' vroeg Rosa na een korte stilte. Ze meende het. Ze vroeg het zich werkelijk af.

Willem liet zijn lepel in zijn bord vallen, soep spetterde op zijn jasje.

'Of mag ik dat niet vragen? En dan mag ik zeker ook niet vragen of je nou wel of niet iets met Ama had? Socrates moest dood om z'n vragen,' zei ze.

'Doe niet zo stom, mens,' zei Thomas – hij wilde naar de verhalen over hun moeder luisteren.

Weer aten zij verder en vertelde Willem over hun moeder, die nooit geklaagd had als haar man weer weken naar zee moest en zij met de kinderen achterbleef.

'Interessant hoor, van mama, maar wanneer geef je nou 'ns antwoord?'

'Waarom doe je zo stom?' vroeg Thomas.

'Stom, ik? Luister, broertje, ik mis Ama. Ik zou willen dat ze terugkwam of dat ik op z'n minst iets van haar zou horen.'

‘Zij jatte, papa sloeg haar, het was ellendig, maar daar hoeven we het nú toch niet over te hebben? Wat maakt het uit, het is voorbij.’

‘Zo is dat!’ zei Willem tevreden omdat het nu twee tegen een was. Hij nam de lege borden af en ging ermee de kamer uit. De vlammetjes van de kaarsen bewogen met zijn tochtvlaag mee en kwamen weer omhoog.

‘Zal ik jou eens slaan dan als het toch niks uitmaakt,’ zei Rosa tegen haar broertje. ‘En als papa haar neukte, maakt dat dan ook niks uit?’

‘Is dat zo?’ vroeg Thomas.

‘Moet je mij niet vragen, slome, maar papa.’

Thomas slaakte een zucht. Of het nou waar was of niet wat ze beweerde, het had toch geen zin om met haar te praten, zo chagrijnig als ze was.

Willem kwam met het hoofdgerecht onder een zilveren cloche de kamer in en de ruimte vulde zich met de lucht van het gebraden vlees.

‘Ziet er goed uit,’ zei Thomas toen hij het gerecht in het licht van de kroonluchter zag.

‘Ik heb niet zo’n zin,’ mompelde Rosa. ‘Ik ga straks wel naar de friettent.’

‘Niks daarvan. Jij blijft thuis vanavond,’ antwoordde Willem en hij schonk zijn glas wijn weer vol. ‘Je bent van de week al vaak genoeg de stad in geweest.’

Rosa tuurde van onder haar wenkbrauwen naar haar vader, die telkens een stukje vlees afsneed en er lang en met tegenzin op kauwde voordat hij het doorslikte. Als hij ergens een hekel aan had dan was het wild. Ze aten niet voor niks zo vaak vis en daarom had ze voor haas gekozen. De komende dagen zouden ze wel uit eten gaan en ze zag ertegen op om de hele tijd met hém te zijn. Met de stijve motoriek van een oude man pakte hij zijn kristallen wijnglas. Hij tuitte zijn dunne lippen, slurpte en liet de wijn door zijn mond gaan. Zijn argwanende kraalogen hielden alles in de gaten en vooral haar.

'Lekker?' vroeg ze.

'Heerlijk,' mompelde hij. 'Vooral met zó'n Fleuri.'

Rosa zette haar tanden theatraal in een achterpoot, het sap sijpelde langs haar kin. Ze kauwde met open mond, liet het vlees op haar tong aan haar vader zien, slikte het toen door alsof het kurk was. Ze wist dat het kinderachtig was wat ze deed, maar dan moest hij haar maar niet als een klein meisje behandelen. Hij zei dat ze niet zo smerig moest doen.

'Ik eet hoe ik wil,' zei ze, toen boog ze zich over de tafel heen en fluisterde: 'En vanavond ga ik tóch.'

Willem depte met het servet zijn afhangende mondhoeken droog en keek naar zijn zoon, alsof hij Rosa niet gehoord had. 'Lekker, Thomas?'

Thomas knikte en legde zijn bestek neer. 'Wel irritant dat Rosa zo doet.'

Willem kneep zijn ogen tot spleetjes en keek nu dreigend naar Rosa. 'Hoor je het, Rosaline? Laatste waarschuwing.'

'Laatste waarschuwing,' herhaalde ze met een kinderachtig stemmetje. Toen riep ze: 'En anders?' Ze keerde haar vader een wang toe, sloot haar ogen en fluisterde: 'Toe dan!'

'Laat haar toch gaan, papa, dan zijn we tenminste van d'r gezeur af,' zei Thomas.

Maar Willem zei dat het tijd was voor het toetje.

Thomas ging met het dienblad de schemerige keuken in, waar hij zijn ijs uit de vriezer en de aardbeien uit de koelkast pakte. Hij hoorde zijn zus schreeuwen en wou dat ze eens ophield. Hij werd er droevig van; kerstavond en zij maakte ruzie. En nu zat hij dankzij haar ook met de vraag in zijn maag of hun vader met Ama een relatie had gehad. Met de drie schaaltjes ging hij de keuken uit, maar toen hij de gang in liep, zag hij Rosa de trap op rennen. Enkele seconden later hoorde hij boven haar deur dichtslaan.

'Leuk zo.' Thomas zette de schaaltjes op tafel.

'Met dank aan je zus,' zei Willem. 'Ga d'r maar halen.'

Thomas ging kwaad naar boven en wilde haar deur opengooien, maar die was op slot. Hij trapte ertegen en riep dat ze open moest doen. Hij hoorde haar huilen, maar er kwam geen antwoord en hij gluurde door het sleutelgat. Ze zat aan het kaptafeltje van hun moeder, met haar rug naar hem toe, en in de ovale spiegel kon hij haar gezicht zien. Als ze huilde, kreeg hij altijd medelijden met haar, zelfs als hij boos op haar was. Nadat hij op haar deur geklopt had, hoorde hij haar heldere stem zeggen dat hij weg moest gaan. Hij gluurde weer en hield van ontroering zijn adem in omdat ze steeds meer op hun moeder begon te lijken, met haar bleke huid, felblauwe ogen en scherpe jukbeenderen. Ze epileerde haar wenkbrauwen, poederde met een kwastje haar wangen, tuitte daarna haar lippen en stifte ze rood. Hij klopte weer en vroeg of ze eindelijk open wilde doen, waarna de deur even later op een kier ging. De glitterbol aan het plafond draaide langzaam en de lichtjes schoven over de muren. Haar kamer rook naar haar zoete parfum. Aan een kleerhanger bij het raam hing hun moeders trouwjurk in een doorzichtige plastic hoes.

Terwijl Thomas op de rand van haar bed ging zitten, schudde Rosa haar haar los en begon ze de dikke blonde lokken te borstelen, waarbij ze haar hoofd schuin hield. Door de mascara leken haar wimpers nog langer. Hij zei dat het ijs smolt.

'Moet je 't terugzetten,' antwoordde ze.

'Ha ha, grappig.'

'Als ik straks zeventien jaar ben, moet ik dan nog steeds vragen of ik weg mag?'

'Als je toch gaat, krijg je pas écht ruzie met 'm.'

'Waarom help je me nou niet 'ns? Je wéét toch hoe hij is? Gezellig noemt hij het. Zeg nou eens dat je óók weg wil, dan staan we sterker!'

'Van mij mag je weg, hoor,' zei Thomas. 'Maar weet je wat? We zeggen dat we naar de film willen, jij en ik. En dan ga ík naar de film en dan doe jíj waar je zin in hebt. Een paar vrienden van me gaan ook. Goed idee?'

'Kijk, zo heb ik tenminste iets aan je.' Rosa glimlachte en ging verder met borstelen. Ze zei dat haar vriend het ook stom vond dat ze niet weg mocht wanneer ze wilde.

'Je vriend?' vroeg Thomas.

Ze zweeg en perste haar lippen op elkaar alsof ze eèn geheim had verklapt. Ze staarde voor zich uit en fluisterde: 'Hij woont op een bootje. Klein maar gezellig. Als ik wil, trek ik zo bij hem in. Wat zou papa dáárvan vinden?'

Thomas kwam naast haar staan, legde zijn arm om haar schouder en zei: 'En ik dan? Als je weggaat, zit ik hier alleen.'

'Nou, dan kom je toch logeren?'

Terwijl ze hakken aandeed en voor de spiegel ging staan, zag Thomas de ketting van houten kralen op haar nachtkastje liggen.

Hij vroeg zich hardop af hoe ze erbij kwam dat hun vader het met Ama had gedaan.

Rosa deed de ketting om en vertelde dat ze haar vader 's avonds weleens uit Ama's kamer had zien komen, terwijl zij daarbinnen was.

'Echt waar?' vroeg Thomas. Hij pakte haar hand vast, die zacht en warm voelde. 'Maar dan hoefde hij het toch nog niet met haar te doen?'

Ze vertelde van de doos met Ama's spullen en slipjes in hun vaders kast. Bovendien had ze het idee dat Ama in de laatste maanden schuwer was geworden en dat ze hun vader nauwelijks durfde aan te kijken. 'Misschien verkrachtte hij haar wel, hij sloeg haar toch ook?'

'Nou, dat lijkt me stug,' zei Thomas. 'Papa is toch geen verkrachter, joh. Hij keek naar haar, dat wel.' Thomas herinnerde zich dat zijn vader Ama eens in de tuin onkruid had laten wieden. Terwijl zij op haar knieën haar werk deed, dronk hij een biertje op het terras en keek naar haar kont.

Rosa bekeek haar spiegelbeeld; haar blonde lokken, haar voorhoofd, haar ogen. Ze zei dat hun vader zich als een dictator gedroeg; er viel met hem niet te praten. Ze had hier in huis gewoon geen eigen leven. Zoiets moest Ama ook hebben gevoeld.

'Jullie zaten altijd samen te giechelen,' zei Thomas dromerig.

'Als papa voorbijkwam ja, met z'n manke loopje, maar zonder dat hij 't in de gaten had.'

'Stil eens.' Thomas hoorde beneden de tuindeuren piepen. Hij ging voor het raam staan, drukte zijn voorhoofd tegen het glas en keek naar beneden. In de diepte zag hij zijn vader naar buiten komen. In het licht dat door de ramen viel, wandelde hij het terras over, bij elke pas van zijn rechterbeen op zijn stok leunend, voorovergebogen, langzaam, zo wandelde hij naar de zonnewijzer in het rozenperk. Hij bleef even staan, alsof hij in het donker de tijd aflas. Hij liep om de vijver heen, tuurde naar het water, waarop de weerspiegeling van zijn gestalte rimpelde, wendde zijn gezicht af en ging toen in het flauwe licht van de tuinlamp het gazon op, waar afgerukte takken en bladeren lagen van de storm van twee nachten eerder. Bij een afgewaaide tak van de kastanjeboom bleef hij staan. Die zou hij zeker in stukken zagen en verbranden in de haard. Niks brandt beter dan eeuwenoud kastanjehout uit eigen tuin, zei hij altijd. Thomas schoof het raam omhoog en riep: 'Mag ik 'm zagen, papa?'

Zijn vader keek op en riep terug: 'Is Rosa ook daar?' Damp kwam uit zijn mond.

Thomas knikte en rilde in de tocht.

'Kom, dan eten we 't ijs nog. En dan moet ik jullie iets vertellen. Iets belangrijks,' zei hij en hij wandelde terug naar het huis.

Thomas hoorde de scharnieren van de tuindeuren weer piepen, toen werd het stil, op wat geknetter van vuurwerk in de verte na. Hij draaide zich om en zei: 'Heb je 't gehoord?'

'Nou, dat werd tijd ook.' Op hoge hakken voor de spiegel, met een bontje om, trok Rosa de zoom van haar rokje naar haar knieën. Ze zocht een van de handtasjes van haar moeder uit, die op chronologische volgorde op de plank stonden. Maar het laklederen tasje uit de jaren vijftig paste niet bij haar bontje. En ook het tasje van felgekleurde plastic kralen van eind jaren zestig paste er niet bij.

'Schiet nou eens op,' zei Thomas en hij trok zijn zus aan haar arm mee.

*

Willem wachtte beneden aan de trap zijn kinderen op. Hij had zich voorgenomen om Rosa iets van de relatie die hij met Ama had gehad op te biechten. Hij hoopte Rosa zo de wind uit de zeilen te nemen, anders zou ze er telkens op terug blijven komen. Ze zou misschien op onderzoek uitgaan, graven in zijn verhouding met Ama, steeds dieper. Ze zou zich misschien nieuwe details herinneren en verbanden leggen. Hij wilde haar achterdocht voor eens en altijd wegnemen. Hij ademde zijn medicijn diep in en stak het busje terug in zijn borstzak.

Nu hij zijn dochter naar beneden zag komen, zo mooi opgemaakt, en met het bontje van zijn vrouw om, haalde hij diep adem om het verdriet de baas te blijven. Nogmaals ademde hij diep in – toen vermande hij zich. 'Ik móét het jullie vertellen,' zei hij. 'Als ik het niet doe, blijft het me achtervolgen. Kom.'

Ze gingen in de eetkamer weer aan tafel zitten.

Willem likte peinzend het ijs van zijn lepeltje. Toen begon hij te vertellen dat hij verliefd geworden was op Ama en inderdaad een relatie met haar had gehad. Zij had het ook zo gewild, tenminste, die indruk had ze bij hem gewekt, maar achteraf twijfelde hij daar natuurlijk aan. Misschien had ze hem alleen maar verleid in de hoop er in de toekomst zelf beter van te worden. Hij was naïef geweest om haar zo in vertrouwen te nemen en om verliefd op haar te worden. Een kwestie van gebrek aan zelfbeheersing. En dat hij haar geslagen had was bij nader inzien eerder een gevolg van zijn gevoelens voor haar dan van haar diefstallen. Hij hield van haar, maar zij had gezegd dat ze terug wilde naar Ghana – en daarom was hij radeloos geworden en had hij haar geslagen. 'Dat uitgerekend ík m'n handjes niet kon thuishouden!'

'Hoezo, uitgerekend jij?' vroeg Rosa.

'Het zit me misschien wel in 't bloed,' mompelde hij.

'Wát zit je in 't bloed?' vroeg Thomas verbaasd.

'Neem nou m'n vader, een beter voorbeeld is er niet,' zei Willem.

Het werd stil in de kamer. Rosa en Thomas keken hun vader nieuwsgierig aan: bijna niets wisten zij van hun opa, behalve dat hij was gestorven voordat zij geboren waren en dat hun vader liever niet over zijn jeugd sprak, want dan begon zijn stem te trillen en zijn bovenlip te zweten. Ook hun oma had zelden of nooit over vroeger verteld – maar zij was sowieso een gesloten stugge vrouw geweest.

'Wat was er dan met opa?' vroeg Rosa.

'De zelfslachtende slager,' zei Thomas – want dit was het enige wat hij wist: een zelfslachtende slager die met zijn vrouw en zoon boven de winkel in het koetshuisje van huize Noordgeest had gewoond.

'De slager met de zware knuisten,' zei Willem met trillende stem.

'Was 't zo erg dan?' vroeg Rosa.

'Sloeg hij?' vroeg Thomas.

'Jullie oma, ja, als ze weg wilde of te laat thuis kwam. Nou, ik was bang voor hem, hoor. En het bleef niet bij slaan. Wat híj allemaal verzon om haar pijn te doen.'

Rosa ging rechtop zitten en luisterde aandachtig, ook Thomas luisterde goed, terwijl Willem vertelde over vroeger, over de sadistische trekjes van hun opa.

‘Nou begin ik het te begrijpen, papa,’ zei Rosa. Haar gezicht werd steeds roder.

Thomas beet op de nagel van zijn pink.

‘Van vader op zoon, tja, daar kun jij natuurlijk niks aan doen,’ zei Rosa. ‘Dat kan niemand je kwalijk nemen.’ Ze zweeg even, nadenkend. ‘En hoe kun je nou een relatie met Ama beginnen, terwijl ze zoveel jonger is dan jij? Ik vind ’t echt misselijkmakend.’

Willem leunde achterover in zijn stoel, vouwde zijn handen achter zijn hoofd en zei: ‘Dat laat ik aan jullie over, in hoeverre het me valt aan te rekenen. Maar goed, dit wilde ik vertellen, leuk is het niet, maar zo is het gegaan. Ik ben altijd goed voor Ama geweest, maar liet me één keer gaan. Dat ik een relatie ben aangegaan, daar kun je wat van vinden, maar mijn liefde voor haar was oprecht en ik wilde haar helpen. En wat mij betreft laten we het hierbij. Ik bedoel, het is gebeurd. Ama is weg en wij gaan verder. Punt.’

Het klokje op de schouw gaf kwart over acht aan, zag Thomas; als hij naar de film van negen uur wilde, moest hij over een kwartiertje weg, want hij moest nog een kaartje kopen. Ook Rosa had het kennelijk gezien, want ze stond op en zei: ‘Nou, Thomas, komt er nog wat van?’

‘Ja-ha!’ zei Thomas, hij schraapte zijn keel en zei: ‘Papa, we willen naar de film, samen.’

‘Jullie?’ vroeg Willem verbaasd. ‘Jullie doen toch nooit iets vrijwillig samen?’

‘Nou, vanavond dus wel.’

‘Hm, welke bioscoop dan, en tot hoe laat?’

‘Achter het plein. Halfelf. Elf uur op z’n laatst. Mag het, alsjeblieft?’

'Komt je vriend ook? Ik weet het heus wel, ik ben niet gek,' zei Willem tegen Rosa.

Maar Rosa gaf geen antwoord en haalde haar schouders op.

'Maar jij blijft dus bij haar?' vroeg Willem aan Thomas.

'Beloofd,' zei Thomas.

'Hm, welke film dan? En waarom moet dat per se vanavond? Ik bedoel... ik dacht, vanavond, samen, gezellig.'

'Samen?' vroeg Rosa en haar blik werd opeens donker. 'Laat me niet lachen. Jaren naar zee geweest en nu moeten we ineens van alles samen doen?'

'Anders vraag je aan je afspraakje om hier morgen te komen eten?' vroeg Willem op vriendelijke toon. Dan wist hij tenminste met wie ze was.

Maar Rosa zei dat ze hem pas een maand daarvoor op de kermis had leren kennen en dat het veel te vroeg was om hem thuis uit te nodigen, al helemaal als haar vader er ook bij zou zijn.

'Op de kermis,' herhaalde Willem bedenkelijk en hij keek met één wenkbrauw opgetrokken naar haar korte rode rokje, dat strak om haar heupen spande. Een kermisklant, voor Rosa. Zijn blik dwaalde naar haar panty en hij vroeg of ze het niet koud kreeg zo. Als ze niet oplette, kreeg ze nog een blaasontsteking.

'Vind je 't niet mooi?' vroeg Rosa en ze trok de zoom weer naar haar knieën.

'Mooi, mooi, laat ik het zo zeggen. Je wordt er zo'n gebruiksartikel van. Wat is het voor jongen? Gaat hij naar school, studeert hij al?'

Rosa zei dat hij gitaar speelde in een band, en omdat hij daar niet van kon leven, was hij tramconducteur.

'Tramconducteur,' herhaalde Willem.

'Niet goed genoeg zeker, voor een Noordgeest?' vroeg Rosa.

'Dat heb je goed gezien,' antwoordde hij, maar hij had meteen spijt van zijn felle toon en veroordeling. Als ze naar de bioscoop achter het plein gingen, wist hij tenminste precies waar ze waren. En ook tot hoe laat ze daar waren. Bovendien kon hij dan aan Thomas vragen wat voor een snuiter dat vriendje van haar was.

'Maar meteen naar huis, begrepen?' zei hij op strenge toon. Hij stond op van tafel en begon af te ruimen.

'Natuurlijk, papa,' antwoordde Thomas en hij schoof zijn stoel aan.

Vanuit de gang hoorde Willem even later de stemmen van zijn kinderen. Thomas klonk opgewekt, Rosa lachte. Hij wipte tevreden met zijn hakken van de grond. Hij had Rosa's vragen beantwoord. Hij had zich kwetsbaar opgesteld en de hand in eigen boezem gestoken, in eigen genen als het ware. Dieper kon hij niet gaan. Natuurlijk, hij had zijn gevoelens van liefde voor Ama wat overdreven, want het was in werkelijkheid meer lust dan liefde geweest, misschien zelfs alleen maar lust, vooral de laatste maanden, maar dat kon hij Rosa toch niet uitleggen. En ook Thomas' vragen had hij beantwoord. Rustig en geduldig was hij gebleven, alsof de hele geschiedenis met Ama niet zo vreselijk gevoelig lag. Alsof het een voor de hand liggende reeks gebeurtenissen was geweest. En hopelijk waaiden hun bedenkingen nu over. Als op zee elke donderwolk zich tot een orkaan ontwikkeld had, was hij al duizend keer verdronken.

Nieuwsgierig gluurde Willem door het raam naar buiten, naar de lucht. Hij verwachtte eerst sneeuw en daarna, als het zou opklaren, strenge vorst. Hij glimlachte om het idee dat zijn kinderen straks als ze uit de bioscoop kwamen op zouden kijken van zo'n vers pak sneeuw. Als zij de komende uren naar de film waren, kon hij ongestoord verder werken aan de Noord Welvaren, bedacht hij tevreden. Hij blies de kaarsen op tafel uit.

De stilte in huis drukte op zijn oren en hij kreeg het er koud van. De koude trok van zijn voeten naar boven, zijn kuiten in en nog hoger, naar zijn knieën, en door zijn bovenbenen naar zijn blaas. Hij ging naar het toilet om zijn blaas te legen, daarna ging hij de grachtenkamer in. De houtboortjes die hij 's middags gekocht had lagen op zijn bureau, naast het schip in aanbouw. Hij had laatst op een antiekbeurs een poppenhuis gekocht met meubeltjes erin die precies in het schip pasten. Het precieze werk met schroefjes, pincet, vijl en schuurpapier, leidde hem af en deed de tijd sneller gaan – dan waren zijn kinderen zo weer thuis.

Als jongen had hij lang aan het schip gewerkt maar het niet afgekregen. Tijdens zijn studie en carrière had hij er geen tijd voor gehad. Sinds hij thuis zat met die vervelende knie, was hij er weer aan begonnen.

Terwijl hij een kastje tussen duim en wijsvinger uit het poppenhuis nam, glimlachte hij omdat de avond zo'n kalme wending had genomen.

Hoofdstuk 4

TUREND naar het schip dat koers zette richting de sluizen voelde Willem een mengeling van opwinding en verlangen in zich opkomen. Enkele minuten volgde hij het schip met zijn hand boven zijn ogen, terwijl hij in gedachten de zee voor zich zag. Over een jaar zou hij naar de scheepvaartschool gaan. Hij keek nergens méér naar uit, maar moest nog even geduld hebben. Diep door zijn neus inademend dacht hij de zilte lucht zelfs te kunnen ruiken, toen ging hij verder met zijn zoektocht.

Terwijl hij de kade afzocht, schatte hij de meteorologische feiten in van zondag 2 augustus 1947, tegen zessen 's avonds, op zee van levensbelang. Hij vermoedde dat het zo'n 26 graden Celcius was met een luchtvochtigheid van rond de 70 procent, en hij voelde een vlagerige wind van hooguit 4 beaufort door zijn haren en langs zijn bezwete voorhoofd gaan. Het hogedrukgebied dat al dagen boven Noord-Europa hing, schoof langzaam naar het zuiden. Zijn voeten werden moe van het lopen, maar hij wilde nog verder zoeken.

Hoewel het een vrije zondagnamiddag was, waren in de verte havenwerkers in de weer met vaten die ze via de valreep een beunschip in rolden. Uit een loods dichterbij klonk gehamer, metaal op metaal. Een kraan lag verwrongen op zijn kant te roesten; opgeblazen door de moffen, enkele jaren eerder, zoals alle kranen in het havenkwartier. Bij een duwbak bleef Willem staan en hij tuurde het water tussen romp en kade af. Een dode karper, twee losse planken, een paar sinaasappelschillen, maar niks interessants. De zon weerkaatste hier dof op het water, er dreef een laagje stof op. Hij liep verder, in de richting van het kolentreintje in de trillende verte, totdat hij tussen een paar brandnetels iets zag glanzen. Toen hij zag wat het was, voelde hij zijn hart in zijn keel kloppen. Hij trapte de netels met zijn schoen opzij en raapte de zware klepel van een scheepsbel op. Het begon hem even te duizelen, want zo'n ding was aan brons een paar centen waard, maar toen herstelde hij zich en klemde hij de klepel onder zijn broekriem. Koortsachtig liep hij de kortste weg terug naar zijn fiets. Zo snel mogelijk. Maar zonder te rennen. Zonder argwaan te wekken. Want al leek de kade verlaten, overal vermoedde hij ogen die hem volgden.

Bij de duwbak aangekomen, zag Willem plotseling een man die zich optrok uit de diepte totdat hij op de achtersteven stond, zodat hij een touw van de reling kon knopen. Willem ging langzamer lopen, voelde de klepel onder zijn riem gloeien, stak nonchalant zijn hand op en riep: 'Weertje, niet?'

'Hoezo?' vroeg de man op argwanende toon.

Een andere kerel met verwassen overal kwam in de deuropening van een loods staan en rolde een sigaret.

Willem wipte van zijn ene been op het andere, wist niet wat te zeggen, mompelde maar iets over felle zon en weinig wind, en ging snel verder. Nog een paar honderd meter, dan was hij bij zijn fiets, en was hij zo in de stad. Dan was de vondst voorgoed van hem. Een windvlaag blies stof en zand in zijn gezicht, maar al snel ging de wind liggen en voelde hij de zon weer op zijn huid branden.

Steeds harder trappend fietste hij naar huis.

Van welk schip zou deze klepel zijn? vroeg hij zich met het euforische gevoel van de overwinnaar af. Van een Nederlands-Indiëvaarder of van een beroemd passagiersschip van de Stoomvaart-Maatschappij Nederland? En waar was de bel? Misschien lag die daar ook ergens, tussen die brandnetelbossen. Daar moest hij de volgende keer verder zoeken! Hij fietste langs de oude pakhuizen waar hij vóór de oorlog weleens gekeken had naar de passagiersschepen die er aanmeerden uit Nederlands-Indië. Tijdens de oorlog waren alle schepen naar Engeland vertrokken, maar ook nu de oorlog voorbij was, waren ze nergens te zien. De Handelskade lag op z'n gat, zoals de mensen zeiden.

Willem hield zijn ogen gericht op de koepel van de kerk boven de daken. De stadse lucht die hij ademde werd steeds zwaarder en klammer, en stonk naar diesel en zwavel en prikte in zijn ogen. Zijn longen begonnen ervan te piepen. Toen hij zwaar ademend de gracht was opgedraaid, stopte hij ter hoogte van het pand met de classicistische lijstgevel aan de overkant van het water, waar zijn voorouders hadden gewoond. Niet het breedste pand en ook niet het hoogste, maar toch indrukwekkend. Hij herinnerde zich de krakende stem van zijn opa, die graag vertelde over zijn voorouders, over hun stamboom. Die ging tot vier eeuwen terug, tot aan de weervissers en ansjovishandelaren van Bergen op Zoom, die steeds rijker geworden waren van de handel. Een van hen, de protestant Ferdinand Janszoon Noordgeest, had met zijn vermogen de VOC helpen oprichten. Met de winst van de aandelen had hij dat huis daar laten bouwen met achter in de tuin een koetshuisje. Op de eerste verdieping, boven koets en paarden, kwam zijn personeel te wonen: de kok, de portier met zijn gezin, dienstmeisjes. Dat enkele eeuwen later zijn eigen nageslacht daar terecht zou komen, zou hem ongetwijfeld hebben beschaamd.

Willem had zijn opa eens gevraagd hoe het dan zover gekomen was. Een lang maar boeiend verhaal dat Willem inmiddels uit zijn hoofd kende.

Ferdinand Janszoon kreeg midden zeventiende eeuw pas na drie dochters zijn felbegeerde zoon, die hij Jacob Eeuwout noemde. Toen hij twintig jaar oud was, investeerde Jacob in een rederij, waarna zijn nakomelingen zich specialiseerden in slavenvervoer. De Noordgeesten bouwden talloze vrachtschepen om tot de grootste slavenhalers ter wereld. Maar toen de slavenhandel minder winstgevend werd, besloot stamhouder Karel Noordgeest eind achttiende eeuw om zelf naar zee te gaan. Hij werd bevelhebber van een eskader van de Staatse vloot. Vier generaties lang bekleedden de Noordgeesten vervolgens hoge functies ter zee, totdat Peter Noordgeest in 1850 na een lange vaart thuiskwam en zijn vrouw in bed met een andere man betrapte. Risico's durven nemen, ondernemersdrift, daadkracht, bravoure, dát zat de Noordgeesten in het bloed. Hun successen en heldendaden zouden nog lang herinnerd worden. Hun namen stonden in boeken geschreven, hun dagboeken werden in museumdepots geconserveerd en hun portretten hingen bij kunstverzamelaars aan de muren. Maar ook geweld zat ze al eeuwenlang in het bloed: ze waren agressief en hadden korte lontjes, de keerzijde van hun wilskracht en bravoure misschien. En zoals de weervissers elkaar al neerstaken voor een tonnetje haring of elkaar de hersens insloegen voor een mooie vrouw, zo stak Peter eerst de minnaar van zijn vrouw dood en sloeg hij haar vervolgens net zo lang totdat ze achterover van de trap viel en stierf. Hij werd opgepakt en belandde in de bak. Zijn drie dochters en enige zoon, Gerard Albert Noordgeest, groeiden op in internaten. Hun wachtte een anoniem leven dat bovendien zo armoedig was dat ze het familiehuis moesten verkopen. Gerard ging in de leer bij een slager en besloot op zijn negentiende om een slagerij voor zichzelf te beginnen op de begane grond van het koetshuisje, het enige familiebezit dat behouden gebleven was. En zo werden in de decennia daarna ook zijn zoon – Willems opa – en diens zoon slager. Maar over deze laatste generaties Noordgeest was niks spannends te vertellen, had Willem al op vroege leeftijd tot zijn teleurstelling ontdekt. Om halfzeven 's ochtends ging de wekker af, om zeven uur deden ze het licht in de slagerij aan, om acht uur waren de vitrines met vlees gevuld en om halfnegen werd het slot van de deur gehaald. En zo was zijn havenjutten behalve een hobby ook een excuus om van huis te gaan, besefte Willem maar al te goed. Weg van de slagerij, weg van de verveling, en weg van zijn vader.

Het opvallendste avontuur van de laatste twee generaties was misschien het verhaal van de kater van de notaris, maar dat was volgens Willem eerder iets om je voor te schamen. Toch vertelde zijn opa er graag over, op het plaatsje achter de slagerij, met een sigaar in zijn mondhoek, nu en dan door de heg heen glurend naar de achtergevel van het grachtenpand, en ondertussen grinnikend alsof hij er trots op was. In huize Noordgeest woonde inmiddels een notaris. Elke zaterdag kwam hij bij Noordgeest kalfsgehakt kopen. Aan niemand hadden de Noordgeesten een grotere hekel, want de notaris greep elke gelegenheid aan om hun onder de neus te wrijven hoe mooi het huis van hun voorouders wel was en hoeveel het elk jaar in waarde steeg. En nooit gaf hij een cent fooi. Maar op een dag, Willem was toen zes jaar oud geweest maar hij kon het zich nog goed herinneren, was de notaris zijn zwarte kater met de witte pootjes kwijt. Het beest zat voor de deur van de slagerij aan zijn ballen te likken. Willems opa zag zijn kans schoon, liet de kater binnen en slachtte hem. Willem had moeten helpen met gereedschap aangeven: hakmes, slijpsteen, vleeshaak, en naderhand moest hij de vloer dweilen en de gehaktmolen schoonmaken. Toen de notaris die zaterdag voor zijn kalfsgehakt kwam, verkocht zijn vader het hem vriendelijk en wenste hem een goede dag.

Willem moest er niet aan denken de slagerij over te nemen, hoe graag zijn vader het ook zou willen. Zo'n burgerlijk leven paste hem niet, besefte hij eens te meer. Een avontuurlijk en succesvol leven als kapitein op een groot schip, dát wilde hij. Vreemde landen aandoen. Avonturen beleven van de kaap tot de Barentszee. Bijzondere gerechten proeven, interessante mensen ontmoeten. En telkens als hij zou thuiskomen, zou hij iets meebrengen dat hem aan zo'n reis herinneren kon. Een curieus voorwerp waar hij een verhaal bij te vertellen had. De gedroogde vrucht van een *platonia* uit Paraguay bijvoorbeeld, of een vergulde lotuskelk uit Egypte, of het bontje van een oosterse prinses. En daarna wilde hij nog een eigen rederij beginnen. Schepen zo groot als flatgebouwen met zijn familienaam op de boeg zouden de wereldzeeën bevaren. Aan duizenden mensen zou hij werk verschaffen. En in de lobby van het hoofdkantoor van minstens twaalf verdiepingen hoog zou een levensgroot portret van hem komen te hangen, geschilderd door de beste schilder van het land. En ten slotte zou hij thuis, nog ouder en wijzer geworden, in een luie stoel bij het haardvuur zijn avonturen aan zijn kleinkinderen vertellen. En zijn kleinkinderen zouden geïnteresseerd en onder de indruk naar hun familiegeschiedenis luisteren. Zij zouden naar hun opa opkijken en zijn voorbeeld willen volgen. Zij zouden zichzelf in het verleden van hun familie spiegelen. Hun komaf zou een treeplank voor hun toekomst zijn. En zo zouden de Noordgeesten nog generaties lang succesvol zijn.

Trots en zo diep als zijn zwakke longen toelieten, ademde Willem in, en zijn borst zwol op en zijn wangen gloeiden van opwinding en levenskracht. Hij zag aan de overkant van het water een zwartglanzende Mercedes-Benz voor huize Noordgeest tot stilstand komen. De chauffeur stapte uit en opende het achterportier. De notaris, een oude lange heer in driedelig pak en met een hoed op, beklom het trapje naar de eikenhouten deur, die al openging. Het dienstmeisje met haar witte schort voor liet hem de marmeren gang met spiegels en kroonluchters binnen, waarna de deur dichtging. Altijd als Willem die meneer zag, moest hij aan diens kater denken en zag hij hem met mes en vork keurig zijn gehaktbal snijden.

Terwijl Willem de gracht af fietste naar de brug, voelde hij weer hoe graag hij in dat familiehuis zou thuiskomen in plaats van in het vervallen koetshuisje aan de steeg erachter. Maar misschien zou het hem eens lukken om het terug te kopen. Want vroeg of laat zou het wel te koop komen te staan. De notaris was immers weduwnaar zonder kinderen. De vraag was alleen of hij het tegen die tijd zou kunnen betalen. Hij moest moed houden. Wie geen dromen heeft, bereikt niks. En droomlozen zijn er al genoeg op de wereld. Zij nemen zelf geen beslissingen maar laten het lot voor zich beslissen, dacht hij – en zo komen ze achter de toonbank van de winkel van hun vader terecht. Nee, dat zou hém niet gebeuren. Daar had hij te veel wilskracht voor. En dat wist hij heel zeker, want ook wilskracht was een keuze. Zijn geschiedenisleraar kon er mooi over vertellen, over doorzettingsvermogen, de VOC-mentaliteit en de successen die eraan te danken waren. Ook al herinnerde in zijn eenvoudige leven weinig aan de successen van zijn voorgeslacht, hij was een Noordgeest. En wie het niet geloven kon, moest maar eens op zijn neus letten. De karakteristieke haakneus van Ferdinand Janszoon, waarvan bovendien het linkerneusgat beduidend kleiner was dan het rechter. En wat te denken van zijn hoge voorhoofd en krachtige vooruitstekende kin? En daarbij was hij niet alleen nakomeling van, maar ook nog eens de stamhouder. Want vreemd genoeg werd er bij de jongste generaties Noordgeesten telkens maar één zoon geboren. Hoe vaak er ook om gebeden was, al minstens een eeuw lang kwam er na een jongetje nooit nóg een, dus op zijn schouders rustte de eer van de hele stamboom. En zo ging Willem in gedachten verzonken de brug over en sloeg hij na de gracht de eerste dwarsstraat in, waar de koetshuisjes steeds smaller en lager werden. Van weerzin gingen zijn trappers langzamer rond.

'Noordgeest ~ zelfslachtende slager', stond in sierlijke letters op de winkelruit, alsof het iets was om trots op te zijn. De toren enkele stegen verderop sloeg zeven en de bronzen slagen galmden tussen de gevels. Vanuit de etalage keek een opgezette fazant hem met doffe kraalogen aan. Toen hij met tegenzin aan het touwtje trok dat uit de brievenbus hing, klikte het slot open. De smalle trap op sjokkend kon hij de stank van de sigaar al ruiken. De rook sloeg op zijn longen en ze begonnen weer te piepen. Zijn vader zat in zijn stoel bij de radio en zocht de stations af. Hij draaide met zijn stompe vingers aan de knop totdat hij een tenor hoorde zingen. Zijn bretels hingen los. Voor hem op tafel lag de *Trouw* van zaterdag. 'Ik dacht, waar blijft 't joch. Moeder weg, joch weg, en ik maar alleen hier,' bromde hij.

Willem gaf geen antwoord maar nam de klepel onder zijn broekriem vandaan; zwaar als een slagwapen lag het brons in zijn hand.

Zijn vader zag het en trok zijn wenkbrauwen op. 'Wat heb je daar nou weer?'

'Wat kan jou 't schelen,' zei Willem stroef.

'Ga de messen maar slijpen, dan doe je iets nuttigs.'

Willem voelde zijn hand rond de bronzen bol zweten. Het wapen gaf hem genoeg zelfvertrouwen om te durven zeggen: 'Doe 't zelf, man.'

Zijn vader keek hem strak aan en kneep zijn ogen tot spleetjes. Hij nam de sigaar uit zijn mondhoek en richtte de gloeiende kegel op Willem, alsof hij zijn zoon wilde brandmerken zoals hij zijn vrouw weleens brandmerkte. Altijd op een plek op haar lichaam waar geen klant het de volgende dag zou kunnen zien. Willem draaide zich vol walging om en ging de tweede trap op, die nog smaller en steiler was. Terwijl de sigarenlucht dunner werd, kon hij de bloemkool ruiken die zijn moeder 's middags gekookt had. Ze was zeker de stad in, omdat zij het ook niet uithield bij hém.

Ook al was het zoldertje de benauwdste kamer in de zomer en tochtte het er 's winters, toch was Willem nergens in huis liever dan hier. Als het stormde, kraakten de zolderbalken alsof hij in een houten kajuit woonde. En vanuit het zolderraam keek hij uit over de talloze klok- en trapgeveltjes met erboven de toren, die hij elk kwartier kon horen slaan.

Hij bekeek de klepel in het steeds zachter wordende avondlicht dat door het dakraam viel. *Semper Mare Navigandum*, stond in het brons gegraveerd, daaronder het kruis, de ruit en de N van de Stoomvaart-Maatschappij Nederland. Hij kon bijna niet geloven dat hij zomaar zoiets moois gevonden had. Hij stelde zich de momenten voor waarop ermee geluid was. Hij zag donkere wolken overwaaien, een golf kwam aanrollen, de boeg dook het water in en kwam weer omhoog, en op het voordek bewaarde een schim in regenpak zijn evenwicht terwijl hij uit alle macht luidde.

Willem legde zijn bijzondere vondst voorzichtig op zijn ladekast, naast de jakobsstaf die hij van een plankje en een stuk aluminium gemaakt had en waarmee hij waar dan ook ter wereld de breedtegraad zou kunnen vaststellen. Boven de kast aan de muur hingen een reddingsboei, een ketting vol droog zeewier en een ijzeren anker. Nog een paar bijzondere stukken wilde hij verzamelen, dan zou hij een bord in de straat zetten met een pijl erbij voor de kinderen in de buurt – en een stuiver entree vragen. Zijn vader zou wel commentaar hebben, maar die zocht het beneden in zijn slagerij maar uit.

Op planken langs de wanden stonden zijn modelbouwschepen uitgestald. Hoeveel uren hij daaraan gewerkt had! De zoon van de timmerman op de hoek had hem daarbij aan materiaal geholpen. Van het kleine slavensloepje met de vurenhouten roeispaantjes tot het pronkstuk in zijn kamer, de Noord Welvaren. De bouwtekening had hij uit een boek uit de bibliotheek. Hij was al maanden bezig om de romp van het schip op schaal na te bouwen. Het grootste slavenschip dat ooit gebouwd was – en wel op de rederij van zijn voorouders, waar het in 1662 van stapel was gerold. Het had in korte tijd duizenden slaven verscheept, maar was toen op de rotsen vergaan. Bijna anderhalve meter hoog en twee meter lang zou het schip worden. Hij tuurde ernaar en stelde zich voor hoe mooi het zou worden als het eenmaal af was, met zeilen, kajuiten en kanonnen.

Toen Willem de hoge stem van zijn moeder hoorde, schrok hij op. Uit het trapgat klonk nu ook de diepe stem van zijn vader, gevolgd door een schreeuw van haar. Hij verstond hun woorden niet, begreep alleen de donkere kleur van hun stemmen, de harde klanken, en omdat ze ruziemaakten, bekroop hem een schuldgevoel, terwijl hij er niks aan kon doen. Er klonk gerinkel van servies. Een bord of schotel viel kapot. Minstens de derde keer deze maand, dat ze ruzie hadden, maar wennen deed het niet. Zijn moeder was, naar de mening van zijn vader, weer te lang van huis geweest. Alleen hoeren zwierven 's avonds door de stad, riep zijn vader altijd. Willems schuldgevoel sloeg om in woede. Zijn slapen begonnen te bonzen. Morgen zou niets aan hun ruzie herinneren, behalve zijn moeders blauwe plekken.

Willem ging aan het smalle trapgat staan en keek angstig naar beneden alsof hij in een onpeilbaar diepe afgrond keek.

Eén klap met zo'n klepel zou genoeg zijn om zijn vaders schedel in te slaan. Hij hoorde in gedachten het bot al breken, maar dan was het gebeurd met zijn toekomstdromen. Hij zou, in plaats van naar de scheepvaartschool, naar de jeugdgevangenis gaan. Meer dan tralies en een binnenplaatsje zou hij van de wereld niet zien. Misschien zou hij nooit een vrouw vinden en nooit kinderen krijgen, want wie wilde nou een vadermoordenaar? Met zijn dood zou hij de hele stamboom mee zijn graf in nemen. Een grotere mislukking kon hij zich niet voorstellen. En toch moest hij moeite doen om zich in te houden en niet naar beneden te gaan. Want hij voorvoelde hoe het hem zou opluchten om zijn vader wat aan te doen. Hij zou die sadist wel door een van zijn eigen gehaktmolens willen draaien. Hij maande zichzelf tot kalmte, zette een pas terug – en nog een. Want eenmaal beneden zou er geen weg terug zijn. Een zweetdruppel rolde van zijn hals zijn overhemd in.

Hij ging op de rand van zijn bed zitten en luisterde naar het geschreeuw en gevloek beneden. Maar na een poosje begon aan de andere kant van zijn dunne slaapkamermuur zijn buurmeisje piano te spelen. Hij hield van haar kalme, rustige, dromerige melodieën. Hij zou haar morgen de klepel laten zien en haar erover vertellen. Misschien zou ze dan weer op de rand van zijn bed komen zitten? Hij droomde vaak van haar mooie donkere ogen. Ze ging steeds harder spelen. Zeker omdat ze de ellende bij hen niet wilde horen. De klanken riepen de deining van de zee in hem op. Hij moest nog even geduld hebben, dan was hij vrij.

Hoofdstuk 5

THOMAS ging met zijn zus het trapje naar de gracht af. Hij moest nog steeds lachen om wat ze in de gang bij de voordeur had gezegd. Ze had naar het manshoge portret van Ferdinand Janszoon gewezen, die magere man met zijn hoge voorhoofd, kleine dicht bij elkaar staande ogen, haakneus, dunne lippen en vooruitstekende kin, en ze had gezegd dat die hele kant van de familie zó lelijk was dat ze blij mochten zijn dat hun moeder zo'n lief neusje had om het te compenseren. 'Zie je hoe lelijk hij is? Dezelfde neus als papa.' Daarna had ze het schilderij scheef gehangen, de klok stilgezet en de twee Delftsblauwe vazen op de hoeken van de gangkast ondersteboven gezet.

Naast zijn zus liep Thomas in de richting van het plein, terwijl ze druk praatten over alles wat hun vader zojuist verteld had. Thomas was vooral geschrokken van het geweld van zijn opa tegen zijn oma, terwijl Rosa zich door haar vader verraden voelde omdat hij het met Ama had gedaan. Ze staken tussen taxi's, brommers en fietsers de weg over en liepen langs de verzakte pandjes op de markt. Het een stond nog schever dan het ander, als tanden in een slecht gebit. Toen Rosa een donker zijstraatje insloeg, vroeg Thomas zich nieuwsgierig af waar ze met haar vriend had afgesproken. Achter een raam zat een hoer op een barkruk in roze licht. Rosa bleef staan bij een coffeeshop met groene lampjes aan de gevel.

'Moet je hier zijn?' vroeg Thomas verbaasd.

'Hoe laat spreken we af?'

'Over twee uur.'

'Voor de deur,' zei ze en ze ging door de rode velours gordijnen voor de ingang naar binnen.

Als hun vader erachter kwam dat hij Rosa hier bij de coffeeshop had achtergelaten, zou er pas écht ruzie komen, dacht Thomas, terwijl hij het steegje uit liep, de drukte en het licht van de stad weer in. Hij betwijfelde of hij er goed aan gedaan had om zijn zus te helpen. Na een poosje zag hij van een afstand al het wonderlijke gebouw van de bioscoop met de twee torens als minaretten en dacht hij niet meer aan Rosa, maar keek hij uit naar de kerstfilm waar hij veel over had gehoord. In de rij voor de kassa stonden een paar jongens en meisjes uit zijn klas en hij sloot zich bij hen aan.

*

Rosa verscheurde het ene na het andere bierviltje terwijl ze aan de bar op Peter wachtte. Ze wilde hem over Ama en haar vader vertellen en was benieuwd wat hij ervan vond. Waar bleef hij nou, vroeg ze zich af, maar daar was hij eindelijk. Hij had zijn lange blonde dreads tot een staart gebonden. Nadat hij zijn leren jas had uitgetrokken, kuste hij haar wang en kwam hij naast haar zitten. 'Alles goed?' vroeg hij.

'Nou, niet echt,' zei ze.

Hij luisterde geduldig toen Rosa hem alles over Ama vertelde. Hij knikte nu en dan en bestelde een Singapore Sling voor haar, met ijs en een parapluutje, en voor zichzelf een flesje Amstel.

'Wat een klootzak hè? Het bed in duiken met zijn dienstmeisje,' zei Rosa, terwijl ze het rietje boog.

'Moet ik 'm neerleggen? Met een solo? Zeg het maar. Purple haze, Voodoo child?'

'Ha, ha, grappig hoor. Maar zeg nou zelf.'

'Serieus, waarom bracht hij die Ama sowieso mee naar Nederland? Da's op zich al een beetje raar, toch? Kijk, 't eerste waar ik aan denk, is dat ze op een gegeven moment zwanger werd. Zo gaat het toch altijd? Die grietjes dromen van een rijke kerel. En als ze eindelijk zo'n goudvis aan de haak geslagen hebben, nou, dan gaan ze met de beentjes wijd voor gezelligheid. Wie weet wat ze er allemaal voor deed om hem zover te krijgen. En als het raak is, dan zijn ze binnen natuurlijk, tenminste, dat denken ze zelf. Maar er komt altijd ruzie van. Die kerel wil het kind niet, gaat moeilijk doen en haar bedreigen en zo. En daar had Ama geen zin in, al helemaal niet in een vreemd, koud land waar ze de wetten en regels nauwelijks kende – en dan ook nog met zo'n kindje in haar buik.' Peter speelde even luchtgitaar, knipoogde toen naar Rosa en bood haar een sigaret aan.

Ze stak nadenkend het filter tussen haar lippen en wachtte

op zijn vlammetje. Ze vroeg zich af of Peter gelijk kon hebben. Het idee schokte en verwarde haar. Ze probeerde zich te herinneren of ze iets aan Ama gemerkt of gezien had dat op een zwangerschap had kunnen wijzen. Was ze dikker geworden de weken voordat ze vluchtte? Als het echt zo gegaan was, dan zou het kindje nu een maand of zes oud kunnen zijn. Ze stelde zich een baby voor in Ama's armen; haar halfbroertje of -zusje. Ze kreeg er een warm gevoel bij en zou het kindje dan ook wel vast willen houden, maar de consequenties zouden zo groot zijn dat ze die nog niet kon overzien. Ze nam een hijs en hield de rook lang binnen, terwijl ze naar Peter keek. Hij had haar leren roken, zoals hij haar wel meer had geleerd de afgelopen weken.

'Ik erger me echt rot aan hem,' zei ze en ze nam nog een hijs. 'Zijn stem. Z'n rimpels. Die stomme wandelstok. En hij stinkt uit zijn mond. Die man leeft echt zó in het verleden, met zijn komaf en zo, daar trekt hij zich zo aan op. Alleen het beste is goed genoeg en hij maar bepalen wat het beste is. Weet je wat hij laatst zei? Dat ik niet de slimste ben en daarom misschien maar verpleegkunde moet gaan studeren, zodat ik een arts aan de haak kan slaan. Een arts, waarom in godsnaam? Misschien wil ik wel heel iets anders, maar als het niet in zijn straatje past, dan... Ach, 't is toch nooit goed genoeg, dus waarom zou ik dan nog moeite doen.' Ze pauzeerde even en zei toen: 'Arme Ama, dat ze het met hem moest doen.' Ze wreef met de rug van haar hand het zweet van haar voorhoofd, zo warm en klam was het in de coffeeshop. Toen ze zag hoe Peter naar de blondine achter de bar keek, vroeg ze: 'Kun je het goed zien?' Hij kneep haar zachtjes in haar wang.

Ze rookte haar sigaret op, stapte van de barkruk en wankelde. Eén cocktail en ze voelde zich al draaierig worden. Met haar heupen wiegend in de hoop dat hij haar zou nakijken, liep ze naar het toilet. Ze keek in de spiegel boven de wastafel en werkte haar lippenstift bij. Ze voelde zijn kneepje in haar wang nog. Nadat ze hem had leren kennen op de kermis, was ze naar een feestje geweest waar hij gitaar had gespeeld in een band. Ze had hem meteen al aantrekkelijk gevonden, met zijn mooie huid en mooie tanden. Hij was minstens een meter negentig lang, had brede schouders en was gespierd. Bij hem voelde ze zich veilig. Ze ging op het toilet zitten en besloot dat ze vannacht wél met hem mee zou gaan naar zijn kruisertje, als hij haar dat zou vragen, omdat ze helemaal geen zin meer had om naar huis te gaan. Ze had zich de vorige keer op de gracht laten afzetten, omdat ze bang was voor ruzie met haar vader. Maar ook omdat ze niet zeker wist of ze eraan toe was. Enkele meisjes uit haar klas hadden het al gedaan, maar die waren heel verliefd geweest. Ze wist niet of ze verliefd genoeg op hem was. Hoe kon je verliefdheid meten? Ze voelde wel kriebels in haar buik als ze aan hem dacht – en ze dacht wel tien keer per dag aan hem. Nadat ze had doorgespoeld, kocht ze voor de zekerheid een pakje condooms uit de automaat en stak het in haar handtasje. Haar handen trilden van de zenuwen.

Toen ze even later terugliep, zag ze Peter een aansteker onder een blokje hasj houden. Hij verkruimelde het tussen duim en wijsvinger en liet het op tabak in een vloeitje vallen, dat hij zorgvuldig langs zijn tong haalde. Ze hadden al vaker een jointje gerookt samen en daarna wilde hij haar telkens zoenen, omdat haar tong nog lekkerder voelde als hij stoned was, had hij gezegd. Stoned zijn had voordelen volgens hem: zijn gitaar klonk er beter van, hij kreeg meer inspiratie voor nieuwe solo's en hij werd er minder opgefokt van. Vooral dat laatste was ook Rosa's ervaring.

Alleen van de zware lucht van de hasj werd ze al rustiger, kalmer, tevreden bijna; haar problemen met haar vader? Wat maakte het uit, die ouwe had toch niks meer over haar te vertellen.

Ze ging op de kruk zitten en keek weer naar Peter, glimlachend, dromerig; naar zijn dreads, zijn jukbeenderen, zijn scherpe neus en strakke kaaklijnen; naar de stoppels van zijn bakkebaarden, zijn volle lippen en hoekige kin; naar zijn zijden overhemd met de geopende knoopjes, zodat ze zijn gespierde borst kon zien. Hij had haar nog steeds niet willen vertellen hoe oud hij was. Misschien was hij bang dat ze hem niet wilde. Vijfentwintig jaar, schatte ze hem. Ach, wat maakte het uit, als hij *háár* maar wilde. Ze nam een trek van zijn joint en hield de rook in haar longen. Het voelde alsof er helium door haar aderen stroomde en ze elk moment kon opstijgen. Toen gebeurde het tegenovergestelde, het was alsof haar armen en benen volliepen met water. Ze moest erom lachen en gaf hem de joint terug.

'Wist je dat ik eigenlijk Rosaline heet?' zei ze. 'Ro-sa-li-ne, lelijk hè? Ro-sa-li-ne!' Ze begon weer te lachen en zei: 'Hoezo sjiek de friemel.'

'Sjiek de wat?'

'Friemel!'

*

Toen Thomas de bioscoop uit kwam, sneeuwde het dikke vlokken. De verse sneeuw knerpte heerlijk onder zijn zolen, terwijl hij met zijn handen diep in zijn zakken naar de coffeeshop liep. Hij wachtte bij de gordijnen voor de ingang. Er kwam een kerel naar buiten die lallend de steeg uitging. En even later een vrouw op hoge hakken. Haar jas hing open en bij elke stap sprongen haar borsten in haar truitje op en neer. Een deurtje van een souterrain een eindje verderop ging open en een hoer in badjas stak een sigaret op. Hij rilde. Het was kwart voor elf en hij vroeg zich af waar zijn zus bleef. Als ze te laat thuis zouden komen, zou hun vader willen weten waarom. Toen ze er na een kwartier nog niet was, stapte hij door het gordijn. Een kale kerel in een spijkerjack zonder mouwen hield hem in het portaaltje erachter tegen.

'Wat is er?' vroeg Thomas met zware stem en hij maakte zich zo groot mogelijk.

'Kom 'ns terug als je achttien bent.'

'Mijn zus is binnen.'

En hij stond weer buiten. De koude begon nu ook door zijn zolen te trekken en hij begon te klappertanden. In plaats van nog langer te wachten ging Thomas naar huis, terwijl hij nadacht over wat hij tegen zijn vader moest zeggen. Het smoesje van de film was zíjn idee geweest. Als zijn vader daarachter kwam, zou hij eerst boos worden, gaan schreeuwen misschien, en daarna teleurgesteld in hem zijn en hem niet meer vertrouwen.

Tussen de witte straten leek het water in de gracht een zwarte spiegel. Een rondvaartboot voer langzaam voorbij met kleine kerstboompjes op de tafeltjes. Tot elf uur 's avonds voeren die boten uit en met kerstmis nog later. Een laag sneeuw schoof van een omhoogzwiepende tak en plofte op straat neer.

Thomas ging het glibberige trapje op en opende zenuwachtig de deur met zijn sleutel. Er zat niks anders op dan te zeggen dat Rosa na de film per se nog naar een café had gewild. De gang was donker, maar links, in de grachtenkamer, brandde licht en klonk pianomuziek; zijn vader zat aan zijn werktafel en wreef met een kwastje lijm op een laddertje, dat hij op het achterdek van zijn Noord Welvaren plakte.

'Lukt het?' vroeg Thomas.

Zijn vader keek op. 'O jawel, als je geduld hebt lukt alles. Waar is Rosa?'

'Nog even de stad in,' zei Thomas. 'Echt een spannende film!' Hij geeuwde overdreven en ging toen snel naar boven.

'Welk café?' riep zijn vader hem nog na.

'Geen idee, ergens rond 't plein.'

'En haar vriend, heb je die nog gezien?'

'Nee, die was in de kroeg, denk ik. Nou, welterusten.'

Thomas hoorde zijn vader beneden nog vloeken, toen hij al op zolder was. Hij voelde de tocht langs zijn enkels stromen omdat een van de dakraampjes niet goed sloot. Hij liep onder de schuine balken door, die in de hoogte in het duister verdwenen. Aan touwtjes hingen zijn modelbouwvliegtuigen. Fokkers, Boeings, een F-16. Hij had ze allemaal van zijn vader gekregen, nadat hij eens gezegd had piloot te willen worden. Zijn vader was er zo enthousiast over geweest dat hij geduldig meegeholpen had om ze in elkaar te lijmen. Maar inmiddels wist hij niet zo zeker meer wat hij later wilde worden, al besprak hij zijn twijfels liever niet met zijn vader, want die zou wel teleurgesteld zijn. Hij leunde met zijn ellebogen op de vensterbank en tuurde een poosje naar de binnentuin. In de diepte zag hij de contouren van de buxushagen in de sneeuw, de zonnewijzer, de rondingen van de zandstenen beelden van Pomona en Flora bij de vijver. Het water glinsterde, bij de randen bevroor het al. Aan de overkant sprong een lamp in het koetshuis aan. Schimmen liepen achter de raampjes op en neer, er brandden lampjes in een kerstboom. Deze kerstavond was daar vast en zeker gezelliger geweest dan hier, dacht Thomas, en hij vroeg zich af waarom uitgerekend zíjn moeder dood had moeten gaan, maar het had geen zin om zo te denken. Hij huiverde, trok zijn trui uit en legde die tegen het rotte kozijn, zodat het vannacht minder koud zou zijn in zijn kamer. Nadat hij zijn pyjama had aangedaan, ging hij in bed liggen, onder de zware dekens.

Hij herinnerde zich zoals altijd voor het slapengaan hoe zijn moeder hem vroeger naar bed had gebracht. Lieve woordjes fluisterend hielp ze hem dan uit zijn trui of blouse, klopte ze zijn kussen op, liet ze een kruik vollopen. Na een kwartiertje kwam ze dan soms nog terug. Als hij deed alsof hij sliep, kwam ze op de rand van zijn bed zitten en streek ze door zijn haar. Hij herinnerde zich hoe ze zich vooroverboog, met haar lippen zachtjes zijn wang raakte, en hij voelde haar adem. Op haar tenen ging ze dan zijn kamer uit. 's Ochtends liep ze vaak met hem mee naar school, hand in hand, en als hij thuiskwam van buitenspelen, plukte ze de blaadjes uit zijn haren. Later, toen hij al wat ouder was, zwaaide ze hem uit als hij naar school fietste. En toen werd ze plotseling ziek, maar daar dacht hij liever niet aan. Heel even, een seconde lang, voelde hij zich met haar verbonden, alsof hij zeker wist dat zij nu ook aan hém dacht. Hij glimlachte en draaide zich op zijn zij.

Een balk in de zoldering kraakte. En nu hij heel goed luisterde, hoorde hij in de diepte op de gang de staande klok tikken. Waar bleef zijn zus nou toch? Zijn gedachten werden trager en hij gleed in een diepe slaap. In de duisternis lichtten honderden wijzertjes, knopjes en hendeltjes op. Hij duwde de knuppel naar voren en dook tussen twee wolken door naar beneden, naar de zee, die tot aan de horizon glinsterde. Hij voelde kriebels in zijn buik van het dalen.

*

Willem had genoeg van het bouwen aan zijn schip. Hij ruimde het gereedschap op en ging de donkere gang door naar de achterkamer, waar het killer was omdat de haard er was uitgedoofd. Hij vroeg zich af of hij nog vuur zou maken of naar bed zou gaan, maar hij zou toch niet kunnen slapen zolang Rosa niet thuis was. Ze had Thomas gebruikt om het huis uit te komen, vermoedde hij inmiddels, en hij was erin getrapt. Want ja, zó was het natuurlijk gegaan: Rosa vraagt Thomas mee naar de film en eenmaal buiten, duikt ze het café in, waar haar vriendje ook is. Als hij wist welk café, zou hij haar gaan halen. Wat zou ze vreemd opkijken: opeens haar vader binnen om haar aan haar arm mee te nemen, als een klein meisje, wat een afgang zou dat voor haar zijn. Maar hij zou haar nooit vinden rond het plein met al die kroegen, bars en disco's. En de ouders van haar vriendinnen kon hij niet bellen om te vragen waar ze waren, want vriendinnen had ze niet – ja, laatst had ze een roodharige del mee naar huis genomen, met rode lippenstift, een diep decolleté, een leren riem rond haar mollige taille en een kort rokje aan. Waar moest ze gewone, nette vriendinnen van hebben? Ze ballette niet meer, sportte niet, had geen hobby's, behalve haar uiterlijk dan, en ze maakte met iedereen ruzie, ook op school met de leraren. Het zou hem niks verbazen als ze niet eens ging studeren. Ze wilde later iets met mode gaan doen, in een kledingwinkel gaan werken bijvoorbeeld. Ze was niet de slimste, maar toch ook niet dom, dus waarom dan toch mode? Het ontbrak haar aan een doel, visie, doorzettingsvermogen. Hij zou er niet van opkijken als ze inderdaad kapster of verkoopster zou worden. En ze werd steeds brutaler en was steeds vaker van huis. Het idee dat ze een vriend had, stond hem tegen en maakte hem zenuwachtig. Wie zou dat zijn, dacht hij ongerust, en zou hij wel in de familie passen?

Willem vroeg zich af hoe het mogelijk was dat Rosa's karakter zo van dat van Thomas verschilde. Thomas had het kalme en geduldige zeker van hém gekregen. Thomas deed zijn best op school en probeerde er ook thuis het beste van te maken, ondanks de dood van zijn moeder en de onvoorspelbare stemmingen van zijn zus.

Willem stak het vuur aan en gooide er nog wat hout op. Hij staarde in de vlammen en besefte hoe moeilijk het hem viel om zo'n dochter in z'n eentje op te voeden. Ze had een grote mond, maar was een gevoelig meisje. Te oud om thuis te houden en te jong om op eigen benen te staan. Ze nam steeds minder van hem aan, verzette zich overal tegen, accepteerde zijn gezag niet meer. Steeds vaker maakte ze haar oogleden zwart, daar kreeg ze zo'n dreigende blik van. En hij had haar enkele weken eerder eens betrapt toen ze met een stift een spin op haar bovenarm tekende, als een tatoeage. Waarom een spin? had hij gevraagd. Ze had geheimzinnig geglimlacht en de deur van haar slaapkamer voor zijn neus dichtgegooid. Kon hij nu maar met Annigje praten!

Heel even stelde Willem zich voor dat Annigje bij hem was en dat ze hem in zijn hals kuste en naar hem opkeek. Hij wilde er niet aan denken, wilde de pijn niet voelen, slikte een paar keer, met tegenzin, alsof hij levertraan in zijn mond had, zo misselijk werd hij van de herinneringen, de beelden, de liefde die hij voor haar voelde. Hij ging in zijn stoel bij de haard zitten en staarde in het vuur, naar het dansen en flakkeren van de vlammen. Ze kalmeerden hem, alsof ze de herinneringen van zijn netvlies brandden, alsof ze de beelden opvraten.

Toen de pendule twee sloeg, schrok Willem op en vroeg hij zich af hoe hij moest reageren als Rosa thuiskwam. Hij zou kwaad kunnen worden, haar straf kunnen geven, maar dan zou zij ook boos worden en misschien zelfs van huis weglopen. Dat was zijn grootste angst: dat ze zou weglopen en niks van zich zou laten horen. Wie weet bij wie ze terecht zou komen, in welk milieu.

Hij begon heen en weer te sloffen door de kamer en telkens als het haardvuur bijna uit was, gooide hij er hout op. Het viel hem moeilijk om zich in Rosa in te leven, in zo'n tiener die haar moeder zo miste. Hij moest proberen om rustig, geduldig en begripvol te zijn, maar om tegelijkertijd streng en consequent te blijven. Maar telkens als de pendule sloeg, werd hij nog kwader op haar. Hij hoopte dat hij zichzelf in de hand zou kunnen houden als ze straks thuiskwam.

Hoofdstuk 6

WILLEM nam een slok bier, terwijl hij de dansvloer in de gaten hield. Zijn collega's dansten onder boomkruinen met hun vrouwen het ene na het andere walsje. Nu en dan keek of wees iemand zo onopvallend mogelijk naar hem en fluisterde iets in zijn partners oor – ja, daar op de dansvloer werd over hem geroddeld, zag hij wel, en één collega keek zelfs met een afgunstige blik naar hem. Het nieuws dat hij onlangs gepromoveerd was tot gezagvoerder van een van de grootste schepen van de rederij was als een lopend vuurtje rondgegaan. Maar niemand kon het hem misgunnen, vond hij, want hij had het dankzij studeren en hard werken verdiend. Wat leek het kort geleden dat hij als jongen vanaf de kade naar de schepen tuurde en verlangde naar zee!

Hij had na de scheepvaartschool nog werktuigbouwkunde gestudeerd en was ondertussen aan het werk gegaan op duwbakken en beunschepen. Nog weer later was hij tweede stuurman van een containerschip geworden en had hij wat taken van de eerste stuurman mogen overnemen. Toen hij beëdigd werd als kapitein was hij nog geen vijfentwintig jaar oud geweest. En sinds kort mocht hij het gezag voeren over een honderdduizendtonner van wel duizend voet lang, tweehonderd voet breed, een schroef van vijftig ton en dertig man aan boord. Maar zelfs nu was hij niet tevreden, besefte hij. Integendeel, zoals zijn collega's jaloers naar hem keken, zo was hij jaloers op de mannen die met de mooiste vrouwen dansten. Nu een van zijn jongensdromen in vervulling gegaan was, scheen zijn geest zich des te obsessiever te richten op de vervulling van de volgende.

Nog een slok van zijn bier nemend loerde Willem naar de dansende en zwierende vrouwen. Zij bouwden samen met het orkestje de spanning telkens tot aan de derde tel op, waarna de daling werd ingezet. Hij had wel eens een meisje gehad, maar ze maakte het uit toen hij een paar keer lang naar zee was geweest. Een mooie, betrouwbare, intelligente vrouw van goede komaf zocht hij, maar zij waren zeldzaam. En áls hij eens een geschikte kandidate ontmoette, was ze al getrouwd en had ze al kinderen. En zo was hij dan wel gezagvoerder maar nog steeds alleen, terwijl hij over enkele maanden al dertig zou worden.

Willem dronk zijn glas leeg en zag een jonge vrouw met een rond brilletje aan een tafel verderop zitten. Haar lange blonde haar en ondeugende, levendige blik trokken hem aan. Ze droeg een zwarte pantalon met een rood bloesje en ze was eerder mager dan slank. Haar huid was zo bleek dat het haar iets kwetsbaars gaf. Ze ging nu en dan zenuwachtig met haar hand door haar haar, wat hem beviel, want hoe onzekerder zij zich voelde, hoe zelfverzekerder hij werd. Het orkest zette het volgende walsje in. Omdat het gênant werd om zo lang achtereen naar haar te kijken, besloot hij haar ten dans te vragen. Ze glimlachte naar hem met haar hoofd schuin.

Een goede danspartner was zij niet, bemerkte hij meteen, want ondanks haar vederlichte lijfje waren haar passen zwaar alsof ze cement in haar pumps had. Ze bleek Annigje Meijer te heten, dochter van een aannemer die zeesluizen bouwde en bevriend was met de directeur van de rederij. Ze had een diploma boekhouden gehaald en werkte op het kantoor van haar vader, vertelde ze verlegen, maar helaas kon hij er vanavond niet bij zijn. Toen ze vroeg waarom híj uitgenodigd was, zei hij met zware stem dat hij gezagvoerder was. Ze toonde interesse, leek onder de indruk van zijn positie. Hij vertelde enthousiast dat hij als jongetje al geïnteresseerd was geweest in techniek en navigatie-instrumenten en altijd al naar zee had gewild.

Na de derde wals gingen ze aan een tafeltje zitten en bestelde hij champagne voor haar. Annigje vroeg nuchter wat er aan was, op zo'n schip. Hij had er talent voor als geen ander, vertelde hij trots. De officieren, matrozen en gezellen voelden het; als Noordgeest aan dek kwam, werd het stil. Van nature overmacht, charisma, navigatietalent. Door zijn aders stroomde het talent van zijn voorouders.

'Noordgeest,' mompelde ze, 'hm, nee, daar heb ik nooit van gehoord.'

Willem vertelde dat hij op zee even nauwkeurig als vanzelfsprekend beslissingen nam om voor een storm uit te varen of voor anker te gaan. En aan de kleinste wolkjes, de fijnste rimpeling van de zeespiegel kon hij voorspellingen doen, soms wel vier of vijf dagen vooruit. Koelbloedig navigeerde hij zijn stalen schip de diepste oceanen over. Wekenlang de strakke vaarschema's volgend, van Rotterdam naar Singapore, van Santos naar Yokohama, tienduizenden zeemijlen zonder één keer land te zien. En altijd op tijd de miljoenenladingen lossend, ongeacht het weer of de stromingen. Zelfs de tyfoon onder de evenaar van enkele maanden eerder had hem niet langer dan een dag voor anker gekregen. Het deinen van de zee, de zilte lucht, de horizon, daar genoot hij van. En er was altijd bedrijvigheid en gezelligheid aan boord. Hij at elke avond met zijn koppen mee in een volle kantine.

'Koppen?' vroeg Annigje. Ze had dromerig naar hem geluisterd. Haar wangen waren rood geworden door de alcohol.

Hij grinnikte en zei dat een kapitein zijn personeel zo noemt. Hij was steeds energieker en harder gaan praten en toostte met Annigje op de volgende vaart. Hij vroeg zich af of hij niet te lang aan het woord geweest was, overdreven had, opgeschept had, en of hij haar niet had verveeld – maar toen kuste zij hem. Zomaar opeens boog zij zich naar hem toe en voelde hij haar lippen op de zijne en de montuur van haar brilletje tegen zijn neus. Ze vroeg hem hoe het kwam dat hij zo gelukkig was, en hij antwoordde dat geluk een kwestie van wilskracht was. En opnieuw gingen ze dansen. En opnieuw dronken ze champagne. En toen het feest was afgelopen en de musici hun instrumenten zorgvuldig in hun gevoerde koffers legden, bracht Willem zijn meisje naar huis.

In zijn auto wees Annigje hem de weg naar haar appartement. Ze moesten eerst het centrum uit, naar West, het kanaal over, en dan tussen de hoogbouw door nog verder. Zij hikte nu en dan en vertelde over haar alcoholische moeder en hardwerkende vader.

Ze zei dat ze vanwege haar moeder liever geen alcohol dronk en het daarom niet gewend was om zo aangeschoten te zijn. Toen ze haar straat in reden, met aan weerszijden degelijke woonblokken uit de jaren twintig, vroeg ze waar *híj* woonde. Op zee, ja, maar aan land? Bij zijn moeder thuis, moest hij bekennen. Tijdens zijn studie had hij op kamers gewoond en daarna afwisselend op zee, maar sinds zijn vader na een hersenbloeding overleden was, woonde hij bij zijn eenzame moeder op zolder, een paar weken per jaar op het vasteland.

Annigje glimlachte naar hem; ontwapenend vond ze het zeker, zo'n stoere kapitein van dertig jaar oud bij zijn moeder thuis. Hijzelf schaamde zich er eerder voor. Maar niet lang meer, zei hij snel, want de notaris in huize Noordgeest was niet alleen stokoud maar ook nog ziek en kon elk moment overlijden. En dan zou hij eindelijk de triomfantelijke weg terug kunnen maken, van koetshuis naar grachtenpaleis. Annigje vond het een mooie toekomstdroom en wenste hem succes.

Hij stopte voor haar portiek, waarna ze elkaar in de auto weer zoenden, totdat Annigje wilde uitstappen, maar Willem vragend het hugenotenkruisje in zijn hand nam dat aan een kettinkje om haar hals hing. Ze zei dat ze het van haar vader had gekregen met haar belijdenis en nooit meer had afgedaan. Hij vertelde van huis uit ook protestants te zijn, maar zelden naar de kerk te gaan. Toen ze vroeg of hij in God geloofde, haalde hij zijn schouders op. Hij mompelde iets over de evolutietheorie en onwaarschijnlijkheid en dat hij niets wilde uitsluiten, maar één ding was zeker: als God bestond, was Hij geniaal, omdat Hij oceanen geschapen had, waarna ze allebei uitstapten en een volgend afspraakje maakten.

Terwijl Annigje het trapje in het portiek al op liep, opende Willem het dashboardkastje en nam er een doosje uit. Hij riep haar naam en gaf het doosje aan haar. Toen ze het deksel eraf nam, keek ze verwonderd naar het droge in elkaar geschrompelde struikje op de bodem. Een tijdloos souvenirtje uit Azië, een roos van Jericho, zei hij zachtjes. Als je dit plantje na honderd jaar in een schaal legt en het een scheutje water geeft, ontluikt het.

Achter het stuur voelde Willem even later haar lippen op de zijne nog. Uit een protestants nest kwam ze dus – een nadeel was dat zeker niet. Willem stelde zich bij een sluizenbouwer een dominante kerel voor met grote handen, brede schouders en verzuilde overtuigingen. Zo'n kerel zou zijn dochter niet zomaar aan iedereen weggeven, vermoedde hij. Dus móchtn hij de hand van diens prinsesje vragen, dan zou elke overeenkomst in zijn voordeel zijn. Maar haar hand vragen, hoe kwam hij daar nu bij, hij kende Annigje nog maar één avond! Geamuseerd over de vaart die zijn gedachten namen, reed hij de oude stad weer in.

Trams tingelden, een auto toeterde, de stoplichten sprongen van oranje op rood. Een bioscoop stroomde leeg en taxi's reden af en aan. Willem keek er dromerig naar en besloot om de gracht te nemen. Bij huize Noordgeest boog hij zich over het stuur, zodat hij het pand beter kon zien. Alle ramen waren donker, behalve die van de kamer naast de voordeur. Daar brandde een kroonluchter achter vitrages. Een schim slofte voorovergebogen langs het raam. Zich afvragend hoelang die ouwe het daar in z'n eentje nog zou volhouden, reed Willem naar huis.

Ruim een halfjaar later wandelden Willem en Annigje arm in arm over de gracht.

‘Elise,’ zei Annigje.

‘Hm, te zoetsappig,’ antwoordde Willem. ‘Emma?’

‘Dan liever Anna, of Rosa.’

‘En als het een jongetje wordt Thomas.’

‘Thomas,’ herhaalde Annigje.

Uit de bloeiende iepen langs het water zweefden witte bloempjes en eentje landde in Annigjes haar. Willem plukte het eruit en kuste haar wang, waarna zij glimlachend naar hem opkeek. Het verbaasde hem weleens hoe zacht hij voor haar kon zijn, terwijl hij op zee voor zijn koppen zo hard was. Hij was er trots op dat zij wel acht jaar jonger was dan hijzelf. En voor het eerst had hij iemand ontmoet die er begrip voor had dat hij zo vaak weg was. Want zelfs nu zij zwanger van hem was, had ze niet geklaagd dat hij weer weken naar zee had gemoeten. Bovendien was ze lief, humoristisch, niet dom en van redelijke komaf, dacht hij tevreden. Ja, hij kon zich met haar gelukkig prijzen.

En Annigje zelf wilde niks liever dan een man en kinderen, had ze hem op hun tweede afspraakje eerlijk verteld. Maar tot nu toe had ze geen geluk in de liefde gehad. Ze was niet de knapste, met haar benige figuur, sluike haar en grote voortanden, vond ze zelf, maar ze had weleens lelijkere vrouwen gelukkig gezien. Willem had moeten lachen om haar nuchtere openhartigheid. Hij kon niet ontkennen dat het hem een comfortabel gevoel gaf dat zijzelf niet zag hoe mooi ze was.

Van geluk gooide Willem het bloempje de lucht in en hij keek het na – de wind tilde het op en voerde het mee naar de gracht, waar het op het glinsterende water wegdreef. Toen wandelden ze verder, hand in hand, ieder met hun eigen bijzondere gedachten. Willem had op zee eindeloos naar Annigje uitgekeken, omdat hij haar het goede nieuws wilde vertellen dat hij via de telex van een bevriende makelaar ontvangen had.

Hij hield zijn pas in bij het grachtenpaleisje van zijn voorouders, dat er vermoeid uitzag. De gevel was grauw geworden van de uitlaatgassen en de ramen met de rotte kozijnen leken wel diepe oogkassen. Hij herinnerde zich hoe hij er als jongen naar gekeken had en hoe imposant het geleken had; nu hij wat ouder was en meer van de wereld gezien had, kon hij daar melancholiek om glimlachen.

Samen gingen ze het trapje op naar de brede eikenhouten deur onder het bovenlicht, waarvan een van de ruitjes gebroken was. De verkopend makelaar met wie Willem een afspraak gemaakt had, deed in driedelig pak open. Ze konden rustig rondkijken en als ze vragen hadden, konden ze hem roepen; hij ging een sigaret roken in de achtertuin. Maar Willem had geen vragen, omdat hij alle bijzonderheden van het huis al kende. Hij had nog vanaf zee de bevriende makelaar opdracht gegeven een inspectie uit te laten voeren naar fundering en dak en een taxatie te doen. De resultaten had hij al toegestuurd gekregen. Het zou veel geld kosten om het huis te renoveren, maar er waren geen onoverkomelijke problemen.

Het eerste dat Annigje opviel toen ze naar binnen ging, was het hoge plafond. Ze liep over de marmeren vloer van de lange galmende gang, voorbij de openstaande deur van de kamer aan de gracht. Langs de dikke muren lagen stapels post, uit de kamer kwam de geur van schimmels en muffe gordijnen. De grachtenkamer, zei Willem, waar door de eeuwen heen de gasten ontvangen werden voordat ze in de achterkamer aan tafel gingen. Industriëlen, bankiers, burgemeesters, slavenhandelaren – en waar gesproken werd over de staat van het land, terwijl zwarte dienstmeisjes de asbakken leegden en de glazen bijvulden. De deur hing uit de scharnieren, er zaten vochtplekken in de wandbespanningen, een plank van de houten vloer stond bol. Verbazingwekkend dat de notaris het hier zo lang had uitgehouden. Er moest nog veel gebeuren voordat het bewoonbaar was, zag Annigje wel, maar ze was vaak genoeg in zo'n pand geweest, bij zakenrelaties en opdrachtgevers van haar vader, om te weten hoe romantisch het kon worden. Willem zei dat hij van de grachtenkamer zijn werkkamer wilde maken, met de kasten vol curiosa die hij verzameld had. Bij de manshoge renaissanceschouw zou hij dan de geschiedenis van de familie kunnen doorvertellen aan zijn kleinkinderen, onder de plafondschildering die zo vaag geworden was dat de herders op hun wolken nauwelijks zichtbaar waren.

'Werkkamer,' mompelde Annigje, die er liever een gezellige familiekamer van wilde maken met uitzicht op het water en een deur naar de achterkamer aan de tuinzijde.

Willem zei op serieuze toon dat hij geen betere ruimte kon bedenken voor zijn uitdijende verzameling boeken, prenten en publicaties waarin zijn voorouders genoemd of afgebeeld waren. En wat te denken van al zijn scheepvaartboeken, studieboeken, atlassen en zeekaarten? In een vitrinekast konden dan zijn kleinste scheepsmodellen komen. De grotere modellen konden als pronkstukken op een tafel. 'Nou, als deze kamer maar groot genoeg is dan, voor zo'n slagerszoontje,' zei Annigje spottend, waarna ze hem in zijn wang kneep. Van niemand duldde hij zulke spot, behalve van haar – hij grinnikte zelfs met haar mee. En toch stak het hem. Hij wás een slagerszoontje, maar dat hoefde niet iedereen te weten, en als dit huis straks zijn eigendom was, herinnerde niks meer daaraan.

Ze liepen verder door de gang, voorbij de eikenhouten trap, die met een versleten rode loper lui naar boven draaide. Hoewel het al dagen niet geregend had, vielen er van de lichtkoepel in de hoogte waterdruppels naar beneden, die op de koperen leuning uiteenspatten. In de hoeken van de treden lagen muizenkeutels.

Willem ging Annigje voor naar de eerste verdieping, langs de drie nissen met marmeren beelden in de bocht van de trap: Aphrodite met haar bleke borsten, naakte Ares met alleen zijn helm op en met ballen zo groot als peren, en tot slot het beeld van Hephaestus bijna bovenaan. Willem vertelde dat Ferdinand Janszoon ze uit één stuk Italiaans marmer had laten houwen en naar Amsterdam had laten verschepen. Waarom déze voorstelling, vroeg Annigje benieuwd, maar dat wist hij niet meteen. Misschien was overspel een fascinatie van Ferdinand Janszoon geweest, of een diepgewortelde angst, of misschien had hij zijn vrouw, Maartje van Bergen ter Weemen, willen waarschuwen: als je vreemdgaat, zal ik een kooi voor je smeden, dacht Willem hardop met Annigje mee. 'Maar misschien ging 't hem puur om de schoonheid, niet om de symbolen,' zei hij.

Annigje giechelde en vroeg wat hij zou doen als zij vreemd zou gaan.

Bij de eerstvolgende vaart in 't kielzog springen, antwoordde hij kalm, en misschien meende hij het wel.

De eerste verdieping telde twee kamers; een aan de gracht en een aan de tuinkant. Ze zouden hier een muur kunnen wegbreken voor een slaapkamer met badkamer en suite, zodat het hun verdieping werd. De tweede verdieping telde ook twee kamers, dus er was genoeg ruimte voor de kinderen. Willem vroeg wat Annigje ervan dacht. 'Tja 't is veel werk, maar het kan heel mooi worden,' antwoordde ze zachtjes, terwijl ze naar de diepe binnentuin keek met aan het terras een overwoekerde vijver, halverwege een eeuwenoude kastanjeboom, achterin een prieeltje en nog verder weg de hoge haag, waar alleen het dak van het koetshuisje nog bovenuit stak. 'Als je het echt wilt opknappen, nou, wie houdt je dan tegen?' vroeg ze.

'Jij misschien,' zei hij.

Ze begon te glunderen en zei dat ze er niet tegen opzag. Integendeel, ze vond het een spannend idee om aan zo'n bouwproject te beginnen en ze hoopte dat het huis af zou zijn als hun kindje geboren werd. Ze legde haar handen op haar buik en vroeg wanneer ze zouden beginnen. Willem tilde haar opgelucht op de diepe vensterbank en kuste haar lang.

'Krijgen we die er ook bij?' vroeg Annigje en ze wees naar het notenhouten bureau en de stoel met de drie poten midden in de kamer.

'Van die ouwe,' mompelde Willem. 'De hele mikmak, ja. De inrichting, daar heb ik geen verstand van hoor. Die moet jij maar doen. Nou ja, behalve de grachtenkamer dan.'

'Leuk! Rommelmarktje hier, winkeltje daar... Dit bureautje kan wel blijven staan.'

Willem zei dat hij beneden in de gang een schilderij van Ferdinand Janszoon wilde. In de raadskamer van Bergen op Zoom hing het origineel, als hij zich niet vergiste, en daar wilde hij een reproductie van laten maken.

'En daarnaast zeker een portret van jou, hè? De zeeheld, die het huis terug in de familie kreeg,' zei Annigje en ze giechelde weer, toen dartelde ze de kamer uit, naar zolder.

Willem ging naar de slaapkamer aan de grachtkant en keek tevreden rond. Hoe vervallen het huis ook was, hij voelde zich hier thuis. Eeuwenlang hadden zijn voorouders hier gewoond, de liefde bedreven, kinderen verwekt en opgevoed, ruzies gemaakt en bijgelegd, beslissingen genomen en bevelen gegeven waarmee zij over mensenlevens hadden beslist. In de slagerij van zijn vader had hij zich nooit zo thuis gevoeld. Vreemd was dat. Alsof hij de liefde voor dit huis geërfd had. Alsof het in zijn bloed zat. Het had in de vorige eeuw nooit uit handen van de familie mogen vallen en dat het nu te koop stond, dat er nu weer een Noordgeest in zou kunnen wonen, was een prachtige kans die hij niet aan zich voorbij kon laten gaan. Hier en nergens anders wilde hij een gezin stichten, realiseerde hij zich sterker dan ooit tevoren. Een gezin waarin hijzelf geboren had willen worden. En nu leek zijn droom dankzij Annigje werkelijkheid te worden!

Hij ging voor het raam staan en genoot van het uitzicht, de bloesems in de bomen, het glinsterende water, de residentiële gevels aan de overkant. Een salonboot voer zacht schommelend voorbij met gedekte tafels, op weg naar een verjaardag of trouwerij. Hij schoof het raam open, ademde diep de zachte lentelucht in en voelde zich voor het eerst van zijn leven volkomen bevrijd van de paar nietszeggende generaties vóór hem waarin hij zo weinig van zichzelf had herkend. Die kruideniersmentaliteit. Elk dubbeltje omdraaien. Geen enkel risico durven nemen. Maanden soebatten over een nieuwe snijmachine en hem dan nóg niet kopen. Een dagje de provincie in was voor zijn ouders al een wereldreis geweest. Hier, in dit huis, zou alles anders zijn. Hij draaide zich ontroerd van het raam af en ging op het wankele stoeltje zitten. In de hoogte, boven hem, hoorde hij de voetstappen van Annigje op zolder en nu en dan dwarrelde er gips van het bewerkte plafond omlaag. Omdat hij vermoedde dat ze nog wel even boven zou blijven, durfde hij het doosje uit zijn binnenzak te nemen. Hij opende het, genoot van wat hij zag, maar stak het snel terug toen hij Annigje vlakbij hoorde.

'Grote zolder,' zei ze, terwijl ze de kamer in kwam.

'Voor onze zoon,' zei Willem, want welke jongen wilde nou géén zolder als slaapkamer?

'Wie zegt dat we een jongetje krijgen?' vroeg Annigje.

'We stoppen niet eerder.'

'Nou, dat zullen we nog weleens zien. Eerst deze maar.' Annigje legde haar handen op haar buik en zei: 'En nou krijg ik honger. Wat doen we, ergens 'n broodje halen?'

Maar in plaats van te antwoorden, knielde Willem voor haar neer en vroeg hij haar ten huwelijk.

'Alweer?' vroeg ze, want hij had haar sinds ze zwanger was al vaker gevraagd – in het park, op een brug over de gracht, op het plein – en telkens zei ze ja en legde ze haar hand in de zijne in de hoop dat hij eindelijk een verlovingsring om haar vinger zou schuiven.

Maar Willem had lang gezocht naar de mooiste van de wereld, zodat hij nu mysterieus begon te glimlachen en het doosje weer opende. Toen Annigje het goud met het diamantje zag, sloeg ze haar hand voor haar mond.

En wie Annigje en Willem even later langs het water naar de broodjeszaak op de hoek zag gaan, arm in arm, lachend en kussend, moest wel denken dat niets hun geluk in de weg stond.

Huize Noordgeest leek te ontwaken uit een winterslaap. Alles wat lang gesloten geweest was, werd geopend: ramen en deuren en zelfs de klassieke lichtkoepel boven het trappenhuis. De frisse voorjaarswind trok door de gangen en kamers. De webben in de hoeken van de plafonds wiegden, stofnesten schoven over de grond. Er parkeerden vrachtwagens en busjes voor de deur, betonmolens begonnen knarsend te draaien en kruiwagens werden over loopplanken door de smalle deurtjes onder de hoofdingang het donkere souterrain in gereden. Er werd een steiger tegen de gevel opgetrokken. Binnen klonk hameren, tikken en schuren, net zolang totdat de bewoners van de naastgelegen panden er hoofdpijn van kregen. En ook Willem en Annigje kregen er hoofdpijn van, want de renovatie bleek niet alleen veel ingewikkelder maar ook veel duurder dan ze voorzien hadden. Ze besloten om een etage in de buurt te huren, die groot genoeg was voor hen beiden en de baby, zodat ze in elk geval samen waren.

Terwijl Annigje in het ziekenhuis hun eerste kindje baarde, Rosaline Marije Noordgeest, roepnaam Rosa, sjokten metselaars en timmerlieden door de kamers en gangen van hun toekomstige huis – en zelfs toen anderhalf jaar later hun tweede kindje geboren werd, Thomas Egidius Noordgeest, was het nog niet af. Vooral de keuken aan de tuinkant bleek een ingewikkeld en frustrerend project vanwege vergunningen, monumentenzorg, vertragingen en waterschade. Muren werden uitgebroken, leidingen vernieuwd, deuren en kozijnen vervangen en wandbespanningen hersteld, waarna de plafondschildering in de grachtenkamer minutieus werd gerestaureerd. De herders keken vanaf hun wolken vriendelijk op Annigje en Willem neer, telkens als zij de grachtenkamer binnenkwamen. Een mollige vrouw met een fakkel in haar hand, in de hoek van de kamer, probeerde met haar ochtendlicht de wolken te verdrijven. Een deur van de grachtenkamer naar de tuinkamer zou er tot Annigjes spijt nooit komen. Ze kregen er geen vergunning voor omdat de zeldzame wandbespanning in zijn geheel bewaard moest blijven.

De werkbanken, emmers en ladders verdwenen langzaamaan uit de gangen en de kamers, de vloeren werden geveegd en de plinten afgestoft, zodat Annigje eindelijk aan de inrichting kon beginnen. Met Rosa aan de hand en Thomas in de kinderwagen zocht ze in de stad naar tafels en stoelen, een mooie spiegel voor in de hal, dressoirs, een hemelbed en linnenkasten. Daarna werd het tijd voor kunst aan de muren. Voor de originele zeventiende- en achttiende-eeuwse kunstwerken die eens in het bezit van de familie Noordgeest waren geweest, hadden zij vanzelfsprekend het geld niet. In plaats daarvan lijstten ze oude prenten en kaarten in en hingen hier en daar een reproductie van een Hollandse meester op. Om één origineel werk in huis te hebben, kochten Willem en Annigje van het geld dat ze voor hun huwelijk cadeau hadden gekregen bij een antiquair een vroeg twintigste-eeuws schilderijtje van Cornelis de Bruin met schepen onder een Hollandse wolkenlucht: *Botters op de Zuiderzee*.

In het jaar dat volgde, richtte Willem de grachtenkamer verder in. Er kwamen meterslange notenhouten vitrinekasten tot waar de lambrisering reikte, zodat de wandbespanningen erboven vrij bleven. Bij de schouw kwamen twee Chesterfields en een gemakkelijke bank. Toen hij op een dag op een rommelmarkt een antieke paspop vond en een eindje verderop een kitsche jas met een kraag als een molensteen zoals Ferdinand Janszoon gedragen moest hebben, begon hij te grinniken. Hij zette de pop voor het raam met de jas om de schouders, zodat de toeristen het vanuit de rondvaartboten konden zien. Hij grapte dat hun huis wel een museum leek. Toen hij ten slotte de klepel van de scheepsbel die hij als jongen op de handelskade gevonden had een mooi plekje gaf, overviel hem een gevoel van melancholie en vergankelijkheid.

Op een koude winterdag in december 1971 kwam Thomas de grachtenkamer in gerend met een lapje voor zijn oog, een flapperende cape om zijn schouders en een pistooltje in zijn hand.

'Papa, handen omhoog of ik schiet,' riep hij, waarna Willem gespeeld aarzelend zijn handen de lucht in stak.

'Geef je je over?'

'Helemaal,' antwoordde Willem.

Thomas haalde zijn schouders op. 'Te laat.' Hij haalde de trekker over en rende de kamer uit.

Annigje liet een negen meter lange rode loper bezorgen. Terwijl twee mannen met tatoeages op de onderarmen de loper van de voordeur tot aan de keuken tussen de roeden spanden, draaide Rosaline op haar spitzen pirouettes tussen hen door. Ze vroegen haar of ze ergens anders wilde gaan dansen. Steeds sneller draaide ze rond, als een tol die breder en smaller wordt naar gelang ze haar ellebogen en knieën naar buiten duwde of naar binnen trok. Toen landde ze op haar hakken en maakte ze een diepe buiging, waarbij haar blonde paardenstaart de vloer raakte.

Toen haar kinderen op een mooie zomerdag in 1975 op schoolreisje waren, hing Annigje het eenvoudige houten kruis op dat altijd bij haar ouders onder de trap gehangen had. De spijker kwam los en het kruisje viel op de grond, maar zonder te breken, waarna Willem een schroef in de muur draaide.

'Nou doe ik écht helemaal niks meer aan 't huis,' verzuchtte Annigje.

'Geloof je het zelf? Het is nooit af,' mompelde Willem.

Annigje haalde haar schouders op en zei: 'Wat moet er nog gebeuren dan? Ja, de ramen mogen weer 'ns gelapt worden. Maar verder?'

'Nou, dát moeten we vieren,' zei Willem, waarna hij een fles champagne uit de kelder haalde. De kurk sprong uit de fles, de glazen stroomden over, en Willem hief zijn glas op de toekomst.

'Van de kinderen,' vulde Annigje aan.

'En huize Noordgeest.'

Voordat ze de fles leeg hadden, lagen ze bezweet naast elkaar op bed en hoorden ze door het geopende raam een duif koeren.

'Twaalf jaar al,' fluisterde Annigje. 'En Thomas bijna elf jaar. Ongelofelijk, wat gaat 't snel. Nog even en ze gaan het huis uit,' zei ze.

'Ach, dan komen ze wel weer terug,' antwoordde Willem zelfverzekerd.

Ze bespraken de ontwikkeling van hun kinderen. Rosa ging binnenkort al naar de middelbare school en haalde goede cijfers, al moest ze er wel veel voor doen. Als ze zo doorging, kon ze later misschien verpleegkunde gaan studeren, zei Willem. Maar ze had ook talent voor ballet, dus naar de balletacademie kon ook, merkte Annigje op. Misschien kreeg ze een internationale carrière, waarna ze nog haar eigen balletschool zou openen in New York of Londen – zij was niet voor niets een Noordgeest, dacht Willem hardop. Annigje giechelde en zei dat ze ook weer niet zó veel talent had.

En Thomas droomde van straaljagerpiloot worden. Een prachtig beroep natuurlijk, maar Thomas moest nog wat groter leren denken, vond Willem. Eerst het leger in en daar zijn brevet halen, daarbij nog bedrijfskunde studeren, dan een paar jaar ervaring opdoen in de lucht, enkele vredesmissies leiden in het buitenland, en dan doorgroeien tot commandant der luchtstrijdkrachten, was dat geen mooi plan?

'Ach, als ze maar gelukkig worden,' zei Annigje.

Toen Willem een halfjaar later thuiskwam van een vaart, zaten Thomas en Rosa naast elkaar op de bank televisie te kijken en vroeg hij zich hardop af of ze niks beter te doen hadden. Huiswerk, bijbaantje, sport? Hij vroeg aan Thomas hoe het op school ging.

'O goed, een zeven voor rekenen,' mompelde hij.

'En dat noem je goed? En jij, Rosaline. School, ballet, hoe gaat het ermee? Vertel.'

'Ik ga ermee stoppen, met dansen,' antwoordde ze.

Hij tuurde vervreemd naar zijn kinderen. In plaats van te streven naar het hoogste zaten ze onderuitgezakt op de bank chips te eten. Misschien was Annigje te zacht voor ze als hij naar zee was. 'Kom 'ns mee,' zei hij met zware stem.

Zijn kinderen keken verbaasd op.

'Allebei. Kom, dan gaan we voor zitten, in de grachtenkamer.'

'Moet dat?' vroeg Rosa met een zucht. Ze keek naar haar broertje, die net als zij nog verder onderuitzakte.

Willem riep: 'Jazeker moet dat!'

Bij de voordeur keek Willem zoals gewoonlijk op de barometer, die in geen maanden zo laag gestaan had. Het was mooi weer geweest, maar nu sloeg het plotseling om. Hij tikte ertegen, waarna de wijzer nog wat lager sprong, naar storm. Door het bovenlicht kon hij donkere wolken zien overdrijven en hij hoorde buiten in plaats van fluitende vogels de wind in de bomen. Over twee dagen zou hij weer uitvaren. Hij stelde zich de Noordzee bij windkracht elf voor, hij kende geen andere zee die zo klein was maar zo ruw kon zijn. Hij ging de grachtenkamer binnen en deed de kroonluchter aan omdat het buiten snel donker werd. Hij schoof zijn bureaustoel naar achteren en wilde gaan zitten, maar bedacht zich, opende een lade en nam er een doosje gifkorrels uit, die hij in een hoek strooide. Daar kwamen ze nooit helemaal vanaf, van die muizen, wat ze ook probeerden. Hij hoorde de stemmen van zijn kinderen op de gang dichterbij komen, ging bij het raam staan, keek naar het onrustige water. Hij plukte een stofje van de jas van Ferdinand Janszoon.

Nadat Rosa de deur gesloten had, ging Willem achter het bureau zitten en wees naar de twee stoelen ertegenover, waarvan de naden gebarsten waren en het vulsel naar buiten puilde; Thomas ging op het pluche zitten en speelde zenuwachtig met de franjes aan de leuningen.

'Hou eens op,' zei Willem, waarna Thomas zijn handen in zijn schoot legde.

Rosa zakte zuchtend onderuit, terwijl ze haar nagels begon te vijlen.

'Beste Thomas en Rosaline Noordgeest,' zei Willem plechtig, 'vertel maar eens wat jullie van de familie weten.'

'Waarom spreek je eerst Thomas aan?' vroeg Rosa. 'Ik ben toch ouder?'

'Toeval,' zei Willem. Hij herhaalde zijn vraag.

'Jouw familie, bedoel je?' vroeg Thomas.

'Welke anders,' mompelde Rosa.

'Hoezo?' vroeg Thomas.

'Papa praat toch altijd alleen maar over z'n eigen familie. Over die van mama hoor ik hem nooit.'

'Harde werkers, aannemers, sluizenbouwers,' antwoordde Willem geduldig, 'en daar is helemaal niks mis mee, maar daar gáát het nu niet om.'

'Wanneer is ze eindelijk terug? We zouden gaan winkelen,' zei Rosa en ze keek op haar horloge.

'We komen uit Bergen op Zoom,' zei Thomas. 'Heerlijkheid Noordgeest. Dus. Mogen we nu weer gaan?'

'Weet je waar dat ligt?' vroeg Willem.

'In Mongolië, nou goed,' zei Rosa en ze rolde met haar ogen en gaapte.

'Hang je op school ook zo in de bank, Rosaline? Kom, ga 'ns rechtop zitten,' zei Willem, maar Rosa zakte nog verder onderuit en keek weer op haar horloge.

'Vertel,' commandeerde Willem.

Thomas begon te vertellen dat de stamboom tot vier eeuwen terugging. Hij somde wat bijzonderheden op over de weervissers van Bergen op Zoom, die een zwaar leven hadden gehad, en over de ansjovishandel, waar de Noordgeesten veel geld mee hadden verdiend. Vervolgens vertelde hij over de slimme Ferdinand Janszoon, over diens zoon Jacob Eeuwout Noordgeest, en over een van hun beroemdste nakomelingen: Karel Noordgeest, bevelhebber van een eskader van de Staatse vloot. Ook vertelde hij dat de familie in 1815 door Prinses Wilhelmina van Pruisen in de adelstand verheven werd. Zij was bevriend geweest met hun betovergrootmoeder en had hier in huis nog theegedronken.

Rosa ging rechtop zitten. 'Nou, gelukkig zijn we die titel kwijt, zeg. Stel je voor, van adel, dan mag je helemáál niks. En trouwens, waarom moet ik dat allemaal weten? Wat kan mij 't schelen? Moet ik me beter voelen soms, beter dan anderen, omdat ik toevallig Noordgeest heet? Tot hoe laat moest mama nou tennissen?'

Willem leunde achterover in zijn stoel, vouwde zijn handen achter zijn hoofd en besloot dat het verstandiger was om Rosa te negeren. En ook Thomas deed alsof hij zijn zus niet hoorde en wees naar het portret van een man op een paard in een rococolijst, dat achter zijn vader aan de muur hing. Dat was Jacob Eeuwout.

Willem had de lijst lang geleden op een rommelmarkt gekocht en het portret uit een boek gesneden.

Alle drie keken ze nu naar hun voorvader. Hij was zo rond als een tonnetje haring en hield met korte mollige vingers de teugels van zijn paardje vast. De rug van het dier boog zó diep door dat zijn voeten in de beugels bijna de grond raakten. Rosa moest lachen om het opgeblazen, gulzige gezicht en het zuinige pruilmondje.

'Wat een vette vrek,' zei ze.

'Híj was het toch, papa, die voor het eerst op het idee kwam om vrachtschepen om te bouwen?' vroeg Thomas.

'Precies,' antwoordde Willem, en hij vertelde dat de WIC in die tijd op grote schaal slaven begon te vervoeren en dat Jacob schepen leverde. 'Een groot succes. Zijn vader was ook al zo succesvol. Een van de oprichters van de VOC, maar goed, dat weten jullie inmiddels wel. Kortom, wij hebben wat bereikt. En vertel eens, Rosaline, dankzij wie wonen we na lange tijd weer hier, in huize Noordgeest aan de gracht?' Hij zette trots zijn vuist in zijn zij, als toonbeeld van macht, zoals zijn voorouders zich zo graag lieten portretteren.

'Tssss,' deed Rosa. En na een korte stilte zei ze: 'Gadverdamme, Thomas!'

Thomas wuifde met zijn hand de lucht haar kant op en begon weer te grinniken.

Willem rook het nu ook.

Een halfjaar later trok Willem met tegenzin de voordeur van zijn grachtenpand open, zoals hij de laatste tijd alles met tegenzin deed. De portretschilder die hij enkele dagen eerder gebeld had, stapte naar binnen. De lange tengere man met een statief onder de arm en een fotocamera in zijn hand bekeek goedkeurend het schilderij van Ferdinand Janszoon dat hij zelf jaren eerder in opdracht van Willem had mogen maken. Het hing prachtig hier, in deze fraaie hal. Ferdinand Janszoon keek argwanend op het bezoek neer, met een vuist in zijn zij, een hoed met brede rand op zijn hoofd en een grote witte kraag rond zijn hals. Willem zei dat Annigje boven was, waarna ze de trap beklommen. Onder hen, uit de achterkamer, waar Thomas en Rosa televisiekeken, klonk de drukke stem van een presentator gevolgd door applaus.

Willem klopte op Annigjes deur en kondigde de schilder aan. Annigje zat aan haar kaptafeltje, haar kale hoofd glansde en onder haar ingevallen ogen lag schaduw. Ze fluisterde: 'Ik dacht bij het raam?' De schilder had de vrouw van zijn opdrachtgever lang niet gezien en schrok zichtbaar van hoe ze eruitzag. Hij knikte beduusd naar Annigje, stelde zijn camera op en schoof een van de twee dikke velours gordijnen dicht, zodat het licht zachter werd.

Willem ging ondertussen met een diepe zucht op de rand van het hoge hemelbed zitten. Peinzend keek hij naar zijn vrouw bij het raam en hij vroeg: 'Doe je je doek niet om?' – waarna Annigje de hoofddoek omknoopte die ze de laatste tijd ook droeg als ze de straat op ging.

Hoe zieker en zwakker ze oogde, hoe zwaarder het hem viel om naar haar te kijken. 's Ochtends was hij met haar naar de apotheek geweest voor nieuwe medicijnen. Steeds vaker keken mensen haar na, smiespelend, bezorgd of geschrokken. De bakker deed alsof hem niets vreemds aan Annigje opviel, maar zodra ze de winkel uit waren begon het roddelen, vermoedde hij. Overal waar zij kwamen lazen ze angst in andermans ogen. Wie was er tegenwoordig niet bang om K te krijgen? Kennissen en vrienden vonden het moeilijk om op bezoek te komen, anderen waren juist zo nieuwsgierig om na elke bestraling tot vervelens aan toe te vragen hoe het met haar ging. En of ze veel pijn had. En of ze misselijk was. En of ze eens haar haar weer zou terugkrijgen. Dat ze volgens de artsen nog geen halfjaar te leven had, hadden ze nog niemand verteld, ook Thomas en Rosa niet. Ze gunden hun kinderen zo lang mogelijk een jeugd. Willem vroeg zich af wanneer ze het niet langer zouden kunnen verzwijgen en huiverde bij de gedachte dat hij zijn kinderen bij zich moest roepen, aan haar bed misschien, in deze kamer. Hij kon nog steeds niet geloven dat het binnenkort zover zou zijn.

De schilder mompelde instemmend dat het mooi was, ging door de knieën achter het statief, kneep één oog dicht en maakte enkele foto's kort na elkaar. Het toestel klakte. Mooi, dacht Willem, is niet het goede woord.

Terwijl het flitslicht op Annigjes gezicht uiteenspatte, glimlachte ze ontwapenend naar hem – en hij glimlachte terug, maar in gedachten was hij bij haar uitvaart, waar Annigje het steeds vaker over had. Zoals ze eens het huis tot in de kleinste details had ingericht en niets aan het toeval had willen overlaten, zo organiseerde zij nu haar eigen begrafenis. Maar het verschil met toen was dat ze nu overal aan twijfelde. De bloemen, haar kist, de koffietafel, de teksten op het kaartje; overal had ze bedenkingen bij. En haar twijfels werden allesomvattender. Zelfs van de kerk en haar geloof was ze niet meer zeker. Hoe zieker ze zich voelde, hoe meer ze aan God twijfelde, vertelde ze hem laatst. Toen ze na de zoveelste bestraling was thuisgekomen, had ze zelfs het hugenotenkruisje rond haar hals afgedaan en gemompeld dat ze niet begreep hoe ze eens in een schepper had kunnen geloven. En dat terwijl het bij hemzelf precies andersom gegaan was, besefte hij verwonderd. Hij had nooit overtuigend geloofd. Maar sinds Annigjes ziekte had hij het vermoeden dat zo veel leed niet willekeurig en zinloos kon zijn.

Hij maakte zichzelf steeds vaker wijs dat Annigje en hij samen de uitvaart van een ander regelden, van een kennis of vriend, omdat hij het anders niet volhield. Want zodra hij zich inbeeldde dat zijn vrouw eerdaags werkelijk zou sterven, werd hij misselijk en moest hij bijna kokhalzen, zoals vroeger als hij een kadaverton van zijn vader opende en terugdeinsde voor de stank die vanuit de diepte opsteeg.

Het eerste wat hij dacht als hij 's ochtends wakker werd, was: ze mag niet dood. Met steeds meer tegenzin kwam hij uit bed, zonder Annigje zijn angst en wanhoop te laten merken. Hij wilde optimistisch en vrolijk zijn en aan Annigje laten zien hoe sterk hij was, zodat ze erop zou vertrouwen dat hij het ook ná haar dood met hun kinderen redden zou. Maar als hij alleen maar dácht aan Rosa en Thomas zonder hun moeder duizelde het hem al, alsof hij door een draaikolk de donkerste diepten werd ingezogen. Hoe zou hij zijn kinderen in godsnaam kunnen opvoeden met zulk verdriet en zulke pijn? Hij zou zijn moeder kunnen vragen om te helpen met het huishouden, de opvoeding. Zij was bijna zeventig jaar maar nog altijd gezond en helder van geest. Hij probeerde soms met haar over zijn wanhoop te praten. Dan klemde zijn keel dicht en kwam er niks anders uit hem dan een paar vermoeide zuchten. Zijn moeder sloeg dan een arm om hem heen en zei dat hij zijn best moest blijven doen.

Hij schrok op uit zijn gepeins toen de schilder opmerkte dat hij genoeg materiaal had en zijn camera en statief begon op te ruimen.

Ook dit was alweer voorbij, dacht Willem; steeds sneller ging alles voorbij en er leek niks van over te blijven, behalve straks dan een schilderij.

Annigje zei dat ze misselijk was en even wilde rusten.

Willem kwam met tegenzin uit zijn stoel omhoog om de schilder uit te laten. Toen hij door de gang liep en langs het kruisje onder de trap kwam, deed hij een schietgebed – je kon nooit weten of het hielp. Bij de deur vroeg de schilder met zachte stem of hij Annigje wenkbrauwen zou geven.

Hoofdstuk 7

WILLEM wist niet hoelang hij in de stoel voor de haard geslapen had toen hij van de voordeur wakker schrok. Hij luisterde met ingehouden adem naar het galmende getik van hoge hakken in de gang. De pendule gaf aan dat het bijna vijf uur 's ochtends was. Ze was onbeschoft laat thuisgekomen, hij had er geen andere woorden voor. Hij begon door de kamer te ijsberen en voelde zijn hart sneller kloppen. Zijn voetstappen werden gedempt door het dikke tapijt. Hij vroeg zich af wat hij tegen haar moest zeggen. Hij zou kwaad kunnen worden, haar straf kunnen geven, maar dan zou zij ook boos worden, en naar hem luisteren deed ze toch al niet. Hij zou haar eerst vertellen hoe ongerust hij geweest was en dan afwachten hoe ze zou reageren.

Willem ging leunend op zijn stok de gang door naar de keuken, waar hij het getinkel van glas hoorde. Ze mompelde in zichzelf, hoorde hij. En ze grinnikte. Ze lachte zelfs. Door de deuropening kon hij haar zien. Haar huid leek in één nacht grauwer geworden.

'Waar was je nou?' vroeg hij. Zijn stem klonk onvriendelijker dan hij gewild had.

Rosa trok haar rokje omlaag, wankelde naar de kraan en liet een glas vollopen. Ze snauwde dat het hem niet aanging en gebaarde wild met haar armen. Het glas viel uit haar handen stuk op de tegels. Ze lachte, hurkte neer en wilde de scherven opruimen, maar sneed zich. Op haar wijsvinger welde bloed op. Een dieprode glanzende druppel op haar vingertop. Willem keek ernaar. De druppel bloed beangstigde hem. Rosa stak haar tong naar hem uit, legde de vinger erop en zoog hem naar binnen. Terwijl ze dat deed, schoof haar handtasje van haar andere schouder: er viel een pakje sigaretten uit. Willem boog zich moeizaam voorover, pakte het van de tegels en hield het voor haar gezicht. Ze keek er scheel naar. Hij schudde ermee en vroeg of ze gek geworden was. Ze legde haar handen op haar wangen, tuitte haar roodgeverfde lippen en zei: 'Oh o, oh la la! Mag dat ook al niet?'

Hij gooide het pakje op tafel en deed een stap naar voren, zodat hij bijna tegen haar aan stond, toen riep hij dat ze veel te laat was thuisgekomen en dat hij zich ongerust had gemaakt. Ze lachte en zei: 'Precies, ja. Jij hebt je ongerust gemaakt.' Ze hikte. 'Jij doet dat jezelf aan, dus.'

'Het is verdomme bijna ochtend!' riep hij. Een speekselbelletje sprong van zijn lippen en landde op haar voorhoofd, maar ze veegde het niet weg en bleef hem aanstaren, waarna ze een hand in haar zij zette, haar schouders ophaalde en met glanzende ogen voor zich uit staarde. Ze zei dat ze na de laatste kroeg met haar vriend een pizza gegeten had. 'Da's alles. Niks aan de hand dus. O ja, en we hebben ook nog even geneukt. Mag dat, papa? Of had ik het eerst aan je moeten vragen? Maar ach, jij en Ama konden er ook wat van, hè? En ik ga bij hém wonen. Vind je dat oké?' Ze beet op haar knokkels alsof ze bang was voor zijn reactie en keek er kinderlijk ondeugend bij.

Willem vloekte, nam haar bovenarmen vast en schudde haar door elkaar. Een haarspeld viel op de grond en haar haren vielen over haar schouders. Ze duwde zijn handen weg en spuwde woorden naar hem uit. Dat hij te streng was. Dat ze zichzelf niet mocht zijn. Dat hij naar zee was gegaan na de dood van haar moeder, in plaats van met haar mee naar het graf. Dat hij haar in de steek had gelaten. Ze zei dat ze hem gemist had. Op dat moment omhelsde Rosa hem opeens. Ze stonk naar alcohol en sigarettenpeuken. Haar blouse hing open en door zijn kleren heen voelde hij haar warmte. Ze was zo emotioneel omdat ze dronken was, dacht hij, maar dat betekende niet dat ze niet meende wat ze zei. Ze herhaalde dat ze hem gemist had. Haar woorden drongen tot hem door en maakten hem verdrietig. Ze drukte hem zo dicht tegen zich aan dat hij bijna geen adem kon halen, toen kuste ze zijn wang. Aarzelend en verward bleef hij doodstil staan. Ze deed een pas naar achteren, grinnikte naar hem en zei: 'Hoef je niet zo dom te kijken.' Ze hikte en haar gezicht trok wit weg. Toen boog ze zich over de gootsteen heen en gaf over.

Willem bekeek zijn kotsende dochter van een afstandje en schudde zijn hoofd. In haar panty liep een ladder van haar hak tot haar dij. Ze spuugde, steeds weer, terwijl haar schouders schokten. Hij nam kalm en bedachtzaam de fluitketel van het fornuis en vulde hem, daarna ontstak hij het gas. Theezetten kalmeerde hem. Annigje dronk thee als ze een goed gesprek met Rosa had over meisjesdingen, en nu zou híj theedrinken. Maar hij vroeg zich af of het nog zin had. Hij betwijfelde of er een weg terug voor haar was. Een weg terug naar huis, naar wie ze eens was, en vervolgens naar wie ze had kunnen worden als haar moeder was blijven leven. Hij beet op zijn onderlip, terwijl hij de ketel op het vuur zette.

Rosa stak brutaal een sigaret op.

Willem had haar nooit zien roken. Hij kon niet ontkennen dat het er sierlijk uitzag: hoe ze de filter met een boog naar haar lippen bracht, haar lippen tuitte en zachtjes zoog, waarbij er kuiltjes in haar wangen verschenen. Ze blies de rook krachtig naar hem uit. Hij hoestte, wuifde de rook weg en zei: 'Uit. Nu!' Rosa wees dreigend met haar wijsvinger naar hem. Ze zei dat hij zo'n beetje haar hele leven naar zee geweest was, dus waar bemoeide hij zich mee? Hij was er nooit voor haar geweest, zei ze weer. Toen ze jarig was niet, toen ze het balletconcours won niet, toen haar moeder voor de zoveelste keer bestraald was niet, en zelfs in de maanden na haar begrafenis niet. Containers waren voor hem kennelijk belangrijker geweest dan zijn gezin. Dus waar haalde hij nou het recht vandaan om zich met haar te bemoeien. Om haar iets te verbieden. Om over haar te oordelen.

Willem zei dat hij haar vader was.

'Mijn vader, zou je denken?' zei ze, waarna ze een hijs nam. 'Misschien deed mama het met de hele tennisbaan.'

'Hou op,' zei hij.

'Jij was er toch nooit? We lijken niet op elkaar...'

Tot zijn opluchting zag Willem dat er damp uit de ketel kwam. Nog even en het water zou koken. Ze zouden samen theedrinken en een goed gesprek hebben. Ze móésten een goed gesprek hebben. Hij zou haar vragen thuis te blijven, haar school af te maken, te gaan studeren. En Rosa zou zeggen dat ze erover zou nadenken. Daarna zou ze naar boven gaan, naar haar kamer, waar ze veilig was. Maar Rosa drukte de sigaret uit en zei: 'Wie zijn vijfentwintig jaar jongere meid neukt, heeft bij mij sowieso z'n morele gezag verloren.' Ze grinnikte even en zei toen: 'Trouwens, papa, was je nooit bang dat Ama zwanger zou worden? Of nam je haar alleen van achteren?'

Willem ging met piepende longen voor zijn dochter staan en pakte de ketting om haar hals vast. Hij hoefde niet alles van haar te pikken. Hij trok de ketting kapot. Kralen stuiterden over de vloer en rolden onder tafel.

Rosa gilde en legde haar hand op haar borst. Ze riep dat ze de ketting van Ama gekregen had, sloeg hem in zijn gezicht en riep: 'Klootzak, vuile klootzak!' Ze raapte wat kralen op, duwde hem opzij en rende de hal in. Hij keek haar na en vroeg zich af wat hij nu nog kon doen. Zijn wang gloeide van de klap die hij gekregen had.

De ketel begon te fluiten, steeds feller, totdat hij hem van de hete plaat geschoven had. Moedeloos ging hij aan tafel zitten, zich afvragend waar het fout was gegaan.

*

Ook Thomas was van Rosa wakker geworden. Hij was op blote voeten de trappen af gegaan en had ongezien vanaf het krukje in de gang hun ruzie gevolgd. Hij voelde zich steeds ellendiger. Toen Rosa de keuken uit rende, merkte ze hem niet eens op.

Thomas ging achter haar aan naar boven, tot in haar slaapkamer, waar ze op de stoel aan het kaptafeltje neerplofte. Ze drukte een pil uit een strip in een glas water en mompelde: 'Thomas, ik ga...' en ze staarde voor zich uit, totdat de pil uit elkaar gevallen was. Ze dronk het glas leeg, stak weer een sigaret op en inhaleerde diep. Het was alsof ze vergat dat ze rookte, zo lang hield ze haar adem in. Met een zucht stootte ze de rook uit en zei ze: 'Weg.' Ze stond met zwalkende bewegingen op, alsof ze in een kombuis haar evenwicht bewaarde, en trok een reistas onder het bed vandaan.

Thomas praatte op haar in, zei dat ze geen dingen moest doen waar ze spijt van zou krijgen, maar ze scheen hem niet eens te horen. Kriskras liep ze door de kamer, terwijl ze haastig spullen inpakte: broeken, truien, haar toilettas. Ze trok haar blouse en rokje uit en liet ze op de grond vallen. De lichtjes van de glitterbol schoven over haar rug, haar ruggengraat schemerde door haar huid. Ze trok een spijkerbroek en een wollen trui aan. Daarna nam ze van de bovenste plank van de kast een hoed met een lint, die van hun moeder was geweest. De geur van mottenballen verspreidde zich. Ze zette hem op en glimlachte treurig.

'Waar woont hij?' vroeg Thomas.

Ze pakte de reistas en zei: 'Als ik het zeg, staat papa morgen op de stoep.'

Thomas zweeg. Hij liep achter zijn zus aan de badkamer in, waar ze de hoed afzette om haar tanden te poetsen. Hij zag haar in de spiegel, goud omlijst; ze stak haar tong naar hem uit, die wit was van de tandpasta, maar hij kon er niet om lachen. Hij zei dat hij haar zou missen en vroeg of hij haar kon bellen.

Rosa spoelde haar mond, trok haar bovenlip op, ging met haar pink over haar tandvlees en draaide zich om. Met haar hoofd een beetje schuin keek ze naar hem. Haar ogen glansden. Ze legde haar hand op zijn schouder en zei: 'Ik schrijf je wel.'

Met de reistas ging ze naar beneden, waar ze een nummer draaide en in de hoorn zei: 'Kom je me halen? Meteen ja. Ik zei toch dat 't mis zou gaan.' Ze snoerde de ceintuur van haar jas aan en ging buiten in het heldere licht van een lantaarnpaal in de sneeuw staan wachten.

Thomas vroeg vanuit de deuropening of hij het nummer van haar vriend mocht hebben. Ze gaf geen antwoord en stak weer een sigaret op. Nog voordat ze die op had, stopte er een Honda Civic met een kerel achter het stuur. Thomas zag zijn leren jack, zijn blonde dreads, zijn gloeiende sigaret, toen stapte Rosa in en reden ze weg. Het werd wazig voor zijn ogen. Hij ging op de drempel zitten met zijn handen in zijn haar, alsof haar vertrek definitief zou worden als hij terugging naar binnen.

Hoofdstuk 8

'JE bloedt,' zei Rosa.

'Wat?'

'Je gezicht!'

Peter veegde over zijn gezicht en controleerde zijn hand.

'Overal bloed, man,' zei ze. 'Kijk dan, daar ook, op bed!'

'Da's schaduw, mens,' zei Peter. 'Heb je een bad trip of zo. Eet een lepel suiker of stroop, dan gaat 't over.'

Rosa kwam overeind, strompelde naar het keukentje en zette een fles schenkstroop aan haar mond. Ze kneep haar ogen dicht van de stekende pijn in haar hoofd en zag haar vader in elkaar zakken. Hij rolde krijsend over de vloer en sloeg om zich heen, alsof ze hem met benzine had overgoten en had aangestoken. Zijn ogen werden groter van de pijn en zijn mond sperde zich open. Toen begon hij te verschrompelen, totdat hij een spinnetje was, dat wegrende.

'En?' hoorde ze de stem van Peter in de verte, 'wordt 't al minder?'

Ze had het gevoel dat alles om haar heen begon te draaien, alsof het bootje een draaikolk werd ingezogen. Ze werd er misselijk van. Toen ze terugging naar het bed, stootte ze haar hoofd tegen de dekbalk. De pijn was zo rauw dat ze kreunend op bed viel.

'Gaat het?' vroeg Peter, terwijl hij een vochtige theedoek tegen haar voorhoofd hield. Na een paar minuten duwde ze hem weg. Ze was nu niet misselijk meer, maar zo moe dat ze in de matras leek weg te zakken als in een warm bad. Ondergedompeld was het heerlijk stil en voelde ze zich gewichtloos.

De pijn was er pas weer toen ze wakker werd van het stampen van de diesel van een vrachtschip.

Het was al licht buiten en door het raampje boven het bed zag ze bergen geel zand voorbijschuiven. Niet lang daarna begon het bed te deinen en te kraken en bonkte de boot tegen de kade. Ze stond op en voelde weer die stekende pijn in haar hoofd. De deken hield ze om haar schouders tegen de kou. Ze zette een pannetje water op en zocht de koffiebus, maar kon hem niet vinden.

'Mens, wat nou weer,' mompelde Peter slaperig.

'Geen koffie, verdomme.'

'Ga dan boodschappen doen,' zei hij.

'Doe 't zelf.'

'Geen geld.'

'Moet je een beter baantje zoeken,' zei ze.

'Zou je dat ook tegen Jimi zeggen? Ga een beter baantje zoeken? Ha, ha!'

'Luister, dat jij een beetje gitaar speelt, wil toch niet zeggen dat je Hendrix bent, of wel soms.'

‘Kom hier!’ Hij sprong opeens uit bed, greep haar om haar middel en duwde haar op bed. Het bootje schommelde, terwijl hij op haar ging liggen en haar broekje naar beneden trok. Ze probeerde hem weg te duwen, maar hij was te sterk. Ze voelde hem steken en schuren tussen haar benen en schreeuwde dat het pijn deed, waarna hij wat voorzichtiger werd. Ze zette haar nagels in zijn rug, terwijl hij in haar kwam. Nadat hij van haar af was gekropen, stond ze op. Ze voelde zich hier bij hem met de dag ellendiger worden.

‘Wat ’n katje ben jij, zeg,’ zei hij.

‘Ook goedemorgen,’ mompelde ze en ze ging naar het toilet in het vooronder, anderhalve meter in het vierkant, waar ook nog de douche was, maar die gaf alleen lauw water. Terwijl ze haar ochtendplas liet lopen, keek ze naar de blauwe plek op haar voorhoofd in het spiegeltje op de deur.

‘Hoe is je hoofd?’ hoorde ze Peter vragen.

‘Klote,’ zei ze, terwijl ze de knop indrukte om door te spoelen. Er kwam geen water uit de stortbak. ‘Je plee wil niet meer.’

‘Shit,’ antwoordde hij.

Ze kwam naast hem in bed zitten en keek hoe hij een jointje draaide.

‘Weet je,’ zei hij. ‘Je moet ’t gewoon doen. Ga gewoon naar Ghana joh, als je dat zo graag wilt. Ik heb toch ook in m’n eentje besloten om met school te stoppen en om te gaan reizen? Je moet je dromen najagen. En als het dan niet lukt, nou dan heb je ’t in elk geval geprobeerd.’

‘Kan de kachel niet aan?’ vroeg ze. ‘Stervenskoud, hier.’

‘Dat gezeik de hele tijd. Ga naar Ghana, dan doe je tenminste iets.’

'Moet jij zeggen.'

'Ga moven dan!' Hij stak de joint op, inhaleerde diep, en Rosa zag zijn ogen glazig en zijn pupillen groter worden. Hij pakte voorzichtig haar hand, kneep er zachtjes in, kuste haar handpalm en handrug. Ze trok haar hand terug en kon zich niet herinneren dat ze zich ooit eenzamer had gevoeld dan nu.

'Misschien moet ik gaan, ja,' mompelde ze.

'Dat zeg ik toch.'

Ze liep al langer rond met het idee om Ama te gaan zoeken. Een paar weken geleden had ze bij een reisbureau geïnformeerd naar de prijzen en bleken er betaalbare vluchten te zijn.

Peter nam nog een hijs en bood haar de joint aan, maar ze had geen zin meer om te roken en werd al misselijk van de penetrante geur. Ze had genoeg geblowd voor jaren.

'Je wil 't toch al een hele tijd?' zei hij zachtjes en hij streelde haar bovenarm. 'En je kunt het betalen. Je hebt toch gespaard?'

'Samen met mijn vader, ja. Als ik één gulden spaarde, legde hij er twee bij.'

'Ik wou dat ík zo'n pa had. Maar die lui van mij...'

'Zullen we het ergens anders over hebben?'

'Waarom? Je ouders, da's het belangrijkste wat er is!'

'M'n moeder is dood, dat weet je toch, slome. En mijn vader...'

'Die lui van mij dampen zich de tering, heb ik je nooit verteld, hè? Ik moet ze weer eens bellen, trouwens. Heb jij je ouwe nog gebeld? Ik wil geen gedoe, weet je.'

'Nog niet,' zei Rosa met een zucht.

'Waar wacht je op? Straks belt hij de politie en vinden ze je hier. Wat denk je dat ze doen? Zo'n meisje bij een twaalf jaar oudere gozer met zijn kruisertje vol hasj. Ik heb niet eens een ligvergunning. Kan ik meteen mee 't busje in. En mijn boot zie ik nooit meer terug, wedden?'

Rosa beet nadenkend op de nagel van haar pink. Alleen al het idee dat ze haar vaders stem zou horen, maakte haar zenuwachtig. Hij zou eerst het slachtoffer spelen omdat ze hem geslagen had en vervolgens een beroep doen op haar geweten. Hij zou haar met zijn stem dwingen om naar huis te komen en ze zou uit schuldgevoel geen nee kunnen zeggen. Als ze ergens geen zin in had, dan was het om weer in dat oude muffe huis te gaan wonen, bij hém. Ze ging nog liever in haar eentje naar Ghana, op zoek naar Ama, ook al vond ze dat een eng idee. Ze had vaak over Ghana gelezen en als er iets over op televisie kwam, keek ze altijd geïnteresseerd, maar toch vond ze het moeilijk om in te schatten hoe veilig het er was. En de kans dat ze Ama zou vinden was vrijwel nihil. Maar stel dat ze Ama toch zou vinden. Hoe zou Ama dan reageren? Zou ze blij zijn om haar weer te zien? Of zou het een teleurstelling worden? Hier bij Peter wist ze in elk geval waar ze aan toe was. Ze stond weer op en huiverde. De koude was in de voorgaande weken steeds dieper in haar lichaam gedrongen; tot op haar botten was ze koud geworden. En ook haar hart leek langzaam te bevriezen, want wat Peter van haar dacht interesseerde haar steeds minder. Ze betwijfelde of ze nog verliefd op hem was. Hij was een oplossing, maar de oplossing begon haar te vervelen. Ze vroeg zich af waarom ze hier nog bleef.

Het besef dat het voorbij was, deed haar pijn. Ze begon te huilen, maar omdat ze niet wilde dat hij het merkte, slikte ze de tranen weg. Ze kleedde zich warm aan, terwijl Peter op bed op zijn Gibson begon te spelen, met de joint in zijn mondhoek. Hij speelde zonder versterking, zodat ze nauwelijks hoorde wat hij deed, en toch klonk het al mooi en troostte het haar. Misschien was ze ook daarom verliefd op hem geworden: iemand die zo gevoelig gitaar kan spelen, moet wel een mooi mens zijn, had ze gedacht. Ze trok een maillot aan, daarna haar spijkerbroek, een wollen trui en haar dikke jas met de bontkraag. Ze pakte haar tasje met haar paspoort en bankpasje, en stopte er wat van haar make-up in. Ten slotte zette ze een van zijn zonnebrillen op, zodat niemand de donkere kringen onder haar ogen kon zien, en ze zei met trillende stem: 'Peter, ik ga.'

'Neem bier mee, schatje.'

'Weg, bedoel ik.'

'Later, schatje, later.' Met de joint in zijn mondhoek speelde hij zachtjes door.

'Heb je gehoord wat ik zei?'

'Succes, schatje. En mocht het daar tegenvallen, neem dan bier mee, oké?'

Rosa sloeg het gammele polyester deurtje achter zich dicht en klom aan wal, waar zijn fiets tegen een boom aan stond. Ze wilde opstappen, maar de band was lek. 'Heb je die band nou nog niet geplakt?' riep ze.

'Doe 't zelf,' klonk het gedempt.

'Kun je me niet brengen, met die bak van je?'

'Moet je eerst naar de pomp, jerrycan ligt onder zeil.'

'Laat maar dan. Nou, doei.'

Hij kwam niet eens naar buiten om afscheid te nemen. Ze voelde de wind door haar broek en maillot heen, terwijl ze over de bevroren modder naar de bushalte liep. In het bushokje zat een meisje met een boekentas, Rosa moest om haar braafheid glimlachen. Zelf was ze al weken niet naar school geweest. Ze had de mentor een briefje geschreven dat ze voorlopig niet meer kwam. Ze zou dit jaar zeker zakken, maar erg vond ze het niet, want ze wist toch niet wat ze met zo'n diploma moest. Ze wilde iets met mode gaan doen, kleding of handtassen ontwerpen bijvoorbeeld, maar haar vader had dat idee altijd afgekeurd. Hij zei dat hij geen studiegeld ging betalen voor zo'n flutopleiding. En dan begon hij weer over verpleegkunde, zodat ze later een arts aan de haak kon slaan.

Terwijl Rosa op de bus wachtte, herinnerde ze zich hoe haar vader haar vroeger weleens had opgehaald bij de gymzaal. Als ze rugpijn had, troostte hij haar en masseerde hij haar zachtjes. Nu ze daaraan dacht, voelde ze liefde voor hem, misschien miste ze hem zelfs. Hij had niet álles fout gedaan, kon ook lief zijn en was dat vaak geweest. Als hij terugkwam van zee vertelde hij spannende verhalen over de avonturen die hij beleefd had. Vaak verzon hij er van alles bij: reuzen, dwergen of zeemonsters, zodat het wel sprookjes leken. Hij had haar leren fietsen, haar gewaarschuwd voor de diepe gracht en het verkeer. Nog nooit had hij haar geslagen. En als dank voor zijn zorgen was ze weggelopen. Ze nam zich voor om een kaartje naar huis te sturen.

Het was warm en klam in de bus. Rosa keek door haar zonnebril naar de gezichten van de mensen, onbezorgde mensen, die zo vanzelfsprekend ergens naartoe gingen. Zijzelf had sinds lange tijd geen doel voor ogen gehad en daar moest verandering in komen.

Hoofdstuk 9

WILLEM wandelde met opgeslagen kraag tegen de wind in over de gracht. Hoewel zijn knie bij elke stap pijn deed, was het toch goed om zo veel mogelijk te lopen, als hij zijn arts mocht geloven. Hij was met de trein naar de grootste haven van het land geweest om er naar de bedrijvigheid te kijken. Alles was daar vierentwintig uur per dag, het hele jaar door, in beweging. Schepen voeren in en uit, kranen stapelden containers op elkaar, kettingen ratelden over tandwielen, water klotste tegen de kades. Voor hém, als oud-medewerker van een van de grootste rederijen, ging in de haven elke slagboom open en hij mocht hier en daar zelfs aan boord. Sinds hij helemaal was afgekeurd en zeker wist dat hij nooit meer zou varen, genoot hij er nog meer van. Hij had een bevriend kapitein gesproken over het zware weer op de Atlantische Oceaan, kracht negen Beaufort met gevaarlijk steile golven, waardoor kostbare lading verloren was gegaan.

Een matroos op doorreis naar Stockholm had hem over het ijs op de Oostzee verteld, waar zelfs de ijsbrekers niet doorheen kwamen. Ten slotte had een kraanwerker hem zijn nieuwe kraan laten zien, wel zestig meter hoog. Maar het was te koud geweest om langer te blijven, daar in de wind aan het water, dus was hij rond het middaguur met de trein terug naar huis gegaan.

Zoals altijd wanneer hij de stad was uit geweest viel hem de schoonheid van het oude centrum op, zelfs al woonde hij hier al zijn hele leven, en hij vroeg zich af of het ooit gewoon zou worden. Op de bevroren gracht werd geschaatst. Er had al dagen geen rondvaartboot mogen komen. Het lachen en schreeuwen weergalmde tussen de kades. Waar ter wereld kon je nou in zo'n prachtig decor schaatsen? vroeg hij zich af. Hij hield zijn pas in en keek er lang naar. Een paar jongens speelden ijshockey. Twee dames schaatsten met kalme slagen voorbij. Een man op noren, diep door de knieën gezakt en de handen op de rug, verdween al onder de brug – precies zo had hijzelf ook altijd geschaatst, dacht hij weemoedig. Verderop werd erwtensoep verkocht in een kraampje met een zeil in de kleuren van de Nederlandse vlag. Handel, zelfs op het ijs, stelde hij goedkeurend vast. Schaatsers warmden er hun handen aan dampende koppen soep, toeristen op de brug maakten er foto's van. Tussen al die mensen ontdekte hij een meisje met lang blond haar. Ze draaide pirouettes op witte kunstschaatsen. Ze deed hem aan Rosa denken en opeens vroeg hij zich af of ze het echt was. Ze was te ver weg om haar gezicht goed te kunnen zien, maar haar winterjas met bontkraag was dezelfde als Rosa had. En die roze oor- en beenwarmers had ze ook gedragen. Hij voelde zijn hart bonken terwijl hij naar het meisje bleef turen. Nu ze dichterbij kwam en hij haar gezicht beter kon zien, twijfelde hij niet meer. Ze was het! Eindelijk zag hij haar. Zomaar op het ijs. Vlak bij huis. Alsof ze nooit was weggelopen! Hij stak glibberend de straat over, zijn evenwicht bewarend met zijn stok, en nadat hij zich op het ijs had laten zakken ging hij naar haar toe. Bij elke pas gleed hij bijna uit, maar dankzij de stok bleef hij overeind. 'Rosa!' riep hij een paar keer. Ze schaatste naar hem toe, zwierig, soepel, nu en dan op één been, ver voorovergebogen en met het andere been gestrekt naar achteren. Ze zette af, sprong en draaide in de lucht anderhalve ronde. Achterstevoren landde ze weer op het ijs, glimlachend alsof het niks voorstelde. Maar toen bleef haar schaats steken en gleed ze op haar billen naar een wak. Ze kwam ervoor tot stilstand, alleen haar handschoen schoof door en bleef op het water drijven. Willem tilde haar moeizaam overeind en zag nu pas dat het zijn dochter niet was. Ze probeerde haar evenwicht te bewaren, leunde op hem. 'Dank je,' zei ze blozend en nadat ze een paar keer had afgezet, was ze al onder de brug verdwenen. Hij voelde de koude wind door zijn jas heen en huiverde. Een jongen met een hockeystick botste tegen hem aan en riep: 'Kijk uit, ouwe!'

Hij stak over en ging in de flauwe winterzon lopen. Moedeloos vroeg hij zich af waar zijn dochter was. Hij had de politie gebeld, maar die kon de eerste dagen weinig doen. Elke dag liepen in de stad meiden van huis weg omdat ze ruzie hadden met hun ouders, vaak vanwege een vriendje, en de meesten kwamen wel terecht. Mocht ze ergens gezien worden, dan zouden ze het laten weten. Pas na een week kwam er schot in de zaak. Ze had een briefje naar school geschreven dat ze voorlopig niet meer zou komen. En ze nam geld op van haar betaalrekening. De afschriften werden nog thuis bezorgd. Hij had, net als de politie, haar leraren gesproken en enkele ouders van leerlingen uit haar klas, maar niemand kon hem vertellen waar ze was. Hij had tramconducteurs in de stad gevraagd of ze een collega kenden die op een boot woonde en gitaar speelde, maar ook dat had geen resultaat opgeleverd. Als hij tenminste wist waar ze was, dan zou hij de dagen veel makkelijker doorkomen. Vooral als hij in z'n eentje binnen bleef terwijl Thomas naar school was, had hij het er moeilijk mee en kwamen de muren op hem af.

Een dame met een bontjas, opgestoken grijs haar en een teckel aan de lijn kwam hem tegemoet. Een buurvrouw, maar hij wist niet meteen hoe ze heette, al had hij weleens een praatje met haar gemaakt. Hij hoopte dat ze zou doorlopen, want hij had geen zin in vragen. Toen ze vlak bij hem was, voelde hij haar ogen op zijn stok en knie, waarna ze haar gezicht vertrok alsof ze iets pijnlijks zag, terwijl ze hem al wel honderd keer met die stok gezien moest hebben. Ze bleef staan en vroeg brutaal wanneer hij er nou eindelijk vanaf zou zijn. Hij mompelde dat onder andere het kraakbeen in zijn knie verbrijzeld was, op zee, en voelde zijn wangen warm worden van ongemak. Vervolgens vroeg ze hoe het met zijn kinderen ging. 'Goed,' zei hij, en dan vooral met zijn zoon, want die haalde hoge cijfers op het atheneum en wilde later commandant der luchtstrijdkrachten worden. Ze knikte glimlachend en vroeg waar die donkere meid was, want die had ze al tijden niet gezien. Terug naar Ghana, al ruim een jaar, zei Willem met een strak gezicht. En Rosa? Met Rosa ging het ook goed. Hij dook dieper weg in zijn kraag en begon zo vriendelijk mogelijk te glimlachen, waarna zij ook glimlachte en verder liep.

Daar was zijn huis al, trots tussen de andere grachtenpanden.

Het was de mooiste plek van de stad, dacht Willem, terwijl hij ernaar keek met een hand boven zijn ogen tegen de laagstaande zon. De postbode in de verte zette zijn fiets telkens tegen een muur of hekje, waarna hij de trapjes op en af ging. Willem wachtte hem op. 'Dank u,' zei hij toen hij de post aannam, daarna ging hij het gladde trapje op – moeizaam met die knie, trede voor trede, om niet uit te glijden. Waarom had Thomas nog geen nieuw zout gestrooid, hij wist toch dat hij 's middags thuis zou komen? Met trillende vingers van de zenuwen stak hij de sleutel in het slot omdat hij benieuwd was of er nieuws van Rosa was. Op elk afschrift stond het bankfiliaal vermeld waar ze geld had opgenomen. Hij had de bank gevraagd om hem te bellen zodra ze zich bij de balie meldde, maar uit privacyoverwegingen wilden ze dat niet doen. Vervolgens had hij urenlang op wacht gestaan bij de bank waar ze voor het laatst geweest was. Volkomen zinloos natuurlijk, maar dan had hij tenminste het gevoel dat hij zijn best deed om haar terug te krijgen. Uit het volgende bankafschrift was gebleken dat ze daar niet meer was geweest.

Hij had al gezien dat er een nieuw afschrift bij was en scheurde de envelop meteen open. Tot zijn verbazing zag hij dat Rosa deze keer haar spaarrekening had aangesproken. Sterker nog, ze had bijna al haar spaargeld in één keer opgenomen! Jaren had hij voor haar gespaard en nu was het weg. Hij ging woedend naar binnen en gooide de deur achter zich dicht.

Hoe had het zo ver met haar kunnen komen? vroeg Willem zich af, en hoe zou het in godsnaam met haar aflopen? Dat ze zou weglopen was een van zijn grootste angsten geweest. Door het rechthoekige venster van de ebbenhouten lijst naast hem keek Ferdinand Janszoon neerbuigend op hem neer.

De zorgen om zijn dochter hadden hem zo aangegrepen dat hij even moest gaan zitten, in de keuken aan tafel. Hij zette koffie en keek ter afleiding de post door. Reclameblaadjes, een envelop van de belastingdienst en eentje van de gemeente, die zeker weer aandrongen op reiniging van de grauwe gevel omdat die zo belangrijk was voor het aanzicht van de gracht. Om de paar jaar moest hij die gevel laten schoonspuiten, alsof het niks kostte.

Hij nam een slok koffie en dacht weer aan zijn dochter. Ze gleed steeds verder af, daar was geen houden meer aan. Hij had samen met Thomas haar kamer doorzocht in de hoop een agenda te vinden, een briefje, een aantekening met een naam, een adres, een telefoonnummer, maar in plaats daarvan had hij een zakje wiet gevonden. 'Godverdomme,' had hij geroepen. 'Drinken, roken en nou ook al aan de drugs!' Hij had met een stoel de pilaren van haar hemelbed kapotgeslagen, de houtsplinters lagen er nog voor het raam. Daarna had hij tegen de glitterbol geslagen alsof het een boksbal was. Honderden lichtjes hadden koortsachtig over de muren gedraaid, spiegeltjes waren losgesprongen en splinters landden in zijn haar. Hij was op de rand van het bed gaan zitten en had naar zijn bebloede knokkels gekeken. 'Niks,' had hij tegen Thomas gezegd, 'helemaal niks kunnen we eraan doen.' Thomas had gemompeld dat het maar softdrugs waren. 'Geen harddrugs, nee. Nóg niet,' had hij geantwoord. De stap naar harddrugs werd steeds kleiner, meende hij, en vooral nu ze niet meer thuis was en hij haar de weg niet meer kon wijzen.

Hij had de eerste dagen gehoopt dat haar vlucht haar zo slecht zou bekomen dat ze weer thuis zou willen wonen. Hij hoopte dat hij haar sleutel in het slot zou horen knarsen en dat ze opeens in de hal zou staan. Dat ze eindelijk naar haar vader zou willen luisteren. Dat ze serieuzer en volwassener geworden was. Dat ze haar school zou afmaken. Dat ze zou gaan studeren. Ja, hij hoopte dat Rosa ondanks alle moeilijkheden een vrouw zou worden waar hij trots op kon zijn. En nu had ze haar spaarrekening geplunderd om er drank en drugs van te kopen zeker, voor haarzelf en haar vriend.

Opeens drong tot Willem door hoe riskant het was dat Rosa de sleutel van het huis nog had. Nu ze drugs gebruikte en haar rekeningen bijna leeg waren, was alles anders. Wie weet met wie ze straks in de hal zou staan om aan geld te komen. Of misschien zou ze de sleutel aan iemand geven, iemand van de straat, die ’s nachts zo’n klusje wel zou klaren. Als hij en Thomas boven lagen te slapen. Ze waren niet meer veilig in hun eigen huis. En hoe zat het eigenlijk met de erfenis van haar moeder? vroeg hij zich benauwd af.

Terwijl Willem zijn koffie dronk, kreeg hij een voorgevoel. Zodra Rosa meerderjarig zou zijn, kon ze haar deel van de erfenis van haar moeder opeisen. Hij kon haar nergens meer toe dwingen en haar niks meer verbieden, besefte hij als nooit tevoren, en het zou verstandig zijn als hij niets meer van haar verwachtte. Op het rekenmachientje uit de keukenlade begon hij te rekenen. Toen zijn eigen moeder kort na zijn vader overleden was, had hij voor het laatst met het erfrecht te maken gehad. Hij kende de wetten en regels niet uit zijn hoofd maar de grote lijnen waren niet zo ingewikkeld, herinnerde hij zich nog, terwijl hij getallen intikte en door elkaar deelde. Het bedrag waar Rosa recht op had viel hem in zoverre tegen dat hij het haar nooit zou kunnen betalen zonder dat hij het huis zou moeten verkopen. Hij voelde dat een spiertje in zijn linkerooglid begon te trillen. Zou ze zo ver gaan? Zou ze hem werkelijk dwingen om huize Noordgeest te verkopen? Zou ze zó schaamteloos zijn?

Wie weet met welke mannen ze inmiddels omging, in welke bedden ze sliep, welke invloed er op haar werd uitgeoefend, dacht Willem terwijl hij zijn koffiekopje in de gootsteen zette. Invloeden van de straat. Zeventien jaar jong en al zo'n afwijkend bestaan, waar moest dat toe leiden. Op zo'n barkruk achter een raam, dat was zijn grootste angst, de angst van elke ouder. Rosaline Marije Noordgeest, ijkpunt van een mislukt leven. Alleen de gedachte eraan maakte hem al misselijk. Hij vroeg zich voor de zoveelste keer af hoe het zover met haar had kunnen komen. Hij dacht aan vroeger, toen ze nog een meisje was. Hij zocht in zijn geheugen naar afwijkend gedrag, een onbetrouwbaar karakter, maar wat had het voor zin. Zeker was dat zij minder om hém gaf dan hij om háár. Het kon haar niks schelen dat haar vader al weken niet wist waar en bij wie ze was. Ze had hem kunnen bellen of een kaartje kunnen schrijven. Ze had haar broertje kunnen bellen of hem kunnen opwachten na school, maar ook haar broertje interesseerde haar kennelijk weinig.

Willem keek door het keukenraam bedrukt de wit bevroren tuin in, die onder Annigjes supervisie zo mooi symmetrisch in Franse klassieke stijl was aangelegd. Annigje – maar goed dat zíj niet wist hoe het haar dochter verging. Bedroefd staarde hij naar buiten, met het gevoel alles te hebben verloren. Na een poosje zag hij pas dat Annigjes zandstenen beelden bij de vijver nog steeds niet tegen de vorst waren ingepakt – domweg vergeten, voor het eerst in al die jaren. Arme Pomona en Flora. Een wonder dat er nog geen arm of kop afgevroren was! Hij wilde ze meteen met kranten inpakken voordat het te laat was, maar daar had hij de hulp van zijn zoon voor nodig.

'Thomas?' riep hij de gang in, maar er kwam geen antwoord. Hij ging de trap op en halverwege riep hij nog eens. Hij pauzeerde even om op adem te komen, en toen hij zijn zoon boven aan de trap zag staan, viel hem op hoe bleek en mager Thomas was geworden. Hij betwijfelde of hij zijn jongste zorgen over Rosa met hem moest delen. Het was hem opgevallen dat Thomas 's avonds moeilijker in slaap kwam. Urenlang lag hij te woelen en soms praatte hij in zijn slaap of schrok hij met een schreeuw wakker. Van zijn klassenleraar had hij gehoord dat Thomas in korte tijd stiller en ernstiger geworden was, maar ook opeens, zonder dat iemand het zag aankomen, geïrriteerd kon raken, en brutaal en agressief kon worden. Misschien moest hij zijn eigen ongerustheid en woede zo min mogelijk aan Thomas laten merken. Zijn zoon had al genoeg aan zijn hoofd en kon zich beter op zijn laatste jaren van het atheneum en zijn toekomst richten. Ze waren lang genoeg ongerust geweest, Rosa was vaak genoeg onderwerp van gesprek geweest. Het werd tijd om haar los te laten. Morgen zou hij de slotenmaker bellen. Een mengeling van opluchting, weemoed en verdriet overviel hem, alsof hij voorgoed afscheid van haar had genomen. Hij schraapte zijn keel en vroeg aan zijn zoon: 'Help je me even, met Pomona en Flora?'

'O ja, die zijn we vergeten... Nu meteen?'

Willem mompelde dat hij eerst naar de wc moest en ging de badkamer in. Hij ging zitten en slaakte een diepe zucht. Nadat hij had afgeveegd en doorgespoeld, ging hij met piepende longen voor de spiegel staan. Hij staarde naar zijn dunne grijze haar, zijn ingevallen wangen, en zijn blik viel op de badkuip met de leeuwenpootjes. Hij probeerde niet aan Ama te denken.

Hoofdstuk 10

De zwarte man naast Rosa las een roman. Ze schatte hem vijftig jaar en herkende zijn Ghanese trekken. Hij sloeg met lange tengere vingers een bladzijde om. De zwarte vrouw met vlechtjes naast hem at een zak chips, maar Rosa wist niet of ze bij elkaar hoorden, ze hadden nog niks tegen elkaar gezegd. Ze hield haar adem in toen de vloer begon te trillen. Niemand kon haar nog tegenhouden, nog even en ze was van de grond. Ze keek opgewonden naar buiten en zag de startbaan onder de vleugel door schuiven. Het kwam haar onwerkelijk voor, alsof het vliegtuig op een rollerbank stond. De wanden van de cabine begonnen te trillen en te kraken. Ze werd stevig in haar stoel gedrukt. Als zij vroeger over vliegen fantaseerde, had dít haar altijd het spannendste moment geleken. De man naast haar boog zich over haar heen en keek ook naar buiten, ze rook zijn oksels en wou dat ze een andere stoel gekregen had, maar wat zeurde ze nou, ze zweefde!

Rosa zag de grond steeds dieper onder zich wegvallen. Na een paar seconden schoof er een snelweg onder haar door, met autootjes die speelgoed leken, een eindje verderop huizen en kantoren. Ze kreeg een brok in haar keel toen ze de stad in de verte zag. Het vliegtuig helde verder naar de stad over, ze herkende de grachten, het park, een kantoortoren in aanbouw aan een oever van de brede rivier. Daar in de diepte lag de stad waar ze geboren was en haar hele leven gewoond had. De stralen van de ondergaande zon spiegelden en spatten uiteen op daken en ramen. De man naast haar vroeg of ze Nederlandse was of alleen maar in Nederland was overgestapt. Ze zei dat ze voor de eerste keer vloog.

'Vakantie?' vroeg hij.

'Nou, zoiets. En ik ga iemand zoeken in Ghana.'

'In Accra?'

Ze haalde haar schouders op. 'Ik hoop dat ze daar is, ja.'

'Hm, naar wie ben je dan op zoek?'

Rosa zei dat ze een vriendin zocht die bij haar in huis gewoond had.

'Ik ken veel mensen in Accra, hoe heet ze?' vroeg hij.

'Nou, dát zou nog 'ns toevallig zijn,' zei Rosa. 'Ama Mensah.'

'Mensah. Er wonen in Ghana wel een half miljoen mensen met die achternaam! Van welke clan is ze?'

'Akan,' antwoordde Rosa. Ze keek naar de twee kleine littekens die hij op zijn wang had en zei: 'U bent ook Akan, toch?'

'Net als een miljoen anderen. Wat weet je nog meer?'

Rosa zei dat Ama op een compound bij een lagere school had gewoond.

'Welke lagere school?'

'Geen idee. Op het schoolplein heeft ze m'n vader ontmoet.'

Rosa vertelde over het scheepsongeluk van haar vader, zijn revalidatie en zijn wandelingen, en hoe hij Ama had leren kennen en had willen helpen – precies zoals haar vader het haar verteld had.

'Oké, dat moet dan Nyaho Medical Centre geweest zijn. Tenminste, ik kan me niet voorstellen dat ze je vader naar een lokaal ziekenhuis gebracht zouden hebben,' zei hij kalm. 'En gezien het feit dat hij geen marathons liep met z'n knie, moet dat schooltje binnen, tja, een straal van zo'n twee kilometer geweest zijn?'

'Dank u!' zei Rosa. Ze keek naar buiten, blozend, opgewonden, omdat ze nauwelijks kon geloven dat ze op weg was naar het land van Ama. In de diepte lag de Noordzee, in het strijklicht van de ondergaande zon, met schuimkoppen op de golven. Een containerschip trok een streep door het water. Haar vader had varen geweldig gevonden, maar zo van boven zag het er eenzaam uit.

Het werd stiller in het vliegtuig, dat niet langer steeg. Ze kon door het raampje de zon in zee zien zakken, wat er prachtig uitzag. Haar buurman schraapte zijn keel en vroeg hoe het kwam dat ze het contact met Ama verloren had.

Ze wist niet of ze hem wel moest vertellen over de twijfelachtige relatie tussen haar vader en Ama, over Ama's diefstallen en vlucht; het was een persoonlijk verhaal, van haar vader, maar vooral ook van Ama. En kon ze hem wel vertrouwen? Straks in Ghana zou ze kwetsbaar zijn, omdat ze er nooit geweest was en er niemand kende. Hij hoefde niet te weten dat niemand behalve Peter wist dat ze naar Ghana reisde. Ze had op het vliegveld een kaartje naar huis verstuurd, maar daar had ze alleen op geschreven dat het goed met haar ging en dat ze nog zou bellen. 'Genoeg over mij,' zei ze vriendelijk. 'En u? Woont u in Accra?'

Hij stak haar zijn hand toe en stelde zich voor als Anum van der Zee. Zijn hand voelde koel en hard.

'Mijn kerk is in Nederland,' zei hij, 'maar mijn kinderen wonen in Accra.'

'Je kerk?'

Hij vertelde dat hij als dominee door de Ghanese gemeenschap in Nederland gevraagd was om een kerk te openen.

Rosa glimlachte opgelucht naar hem.

'Zoals ik al zei, ik ken veel mensen. Als je wilt, zal ik je helpen,' zei Anum.

'Maar, waarom zou je dat zomaar doen?' vroeg ze.

'Waarom niet?'

Ze haalde haar schouders op. Twee stewardessen kwamen langs met hapjes en drankjes, ze koos voor een blikje cola, Anum voor kruidenthee en pinda's. Hij zei: 'Nu ben jij weer. Ghana ligt niet om de hoek, dus je moet een goede reden hebben. Vertel eens wat meer over Ama, over jullie vriendschap.'

Ze besloot om Anum alles te vertellen, zei dat Ama na het overlijden van haar moeder in huis was gekomen en dat ze daarom zo hecht waren geworden. Ze vertelde over de relatie tussen haar vader en Ama, over haar diefstallen en vlucht, en ze zei dat ze nou eindelijk wilde weten wat er precies gebeurd was, temeer omdat de mogelijkheid bestond dat Ama zwanger geworden was.

'Hm, klinkt serieus,' zei hij.

'Nou ja, ik hoop in elk geval dat we haar vinden.'

'We?'

'Je zou me toch helpen?'

'Ik kan het in elk geval proberen,' mompelde hij.

Rosa staarde naar buiten. De zon was inmiddels ondergegaan

en het begon te schemeren, zodat het raampje steeds scherper haar gezicht spiegelde. De kans dat ze Ama zou vinden, hoe klein ook, leek haar in elk geval wat groter nu ze Anum had ontmoet. Misschien zou Ama zich schamen en proberen weg te komen, of bang zijn dat ze problemen zou krijgen vanwege de diefstallen, of misschien zou hun vriendschap sterk genoeg blijken. En stel dat ze inderdaad zwanger geworden was en inmiddels een kindje had? Het was een fantasie, een idee, maar het bleef haar biologeren.

Ze zakte onderuit en probeerde te slapen, net als de meeste mensen om haar heen. Anum las weer in de roman, at zijn pinda's, sloeg een bladzijde om. Ze vroeg of het een mooi boek was. Prachtig, zei hij, want het ging over de strijd tussen lichaam en ziel. Ze zei dat ze het dan ook weleens zou willen lezen, waarop Anum antwoordde dat ze het mocht houden als hij het uit had. Ze keek nog even naar buiten en sloot haar ogen weer.

Toen ze wakker werd, was het buiten helemaal donker en sliep Anum met een ooglapje voor en oordoppen in. Ze moest opnieuw in slaap gevallen zijn, want toen ze wakker schrok, voelde ze kriebels in haar buik van het dalen. Anum zei vrolijk: 'Goedemorgen, wat kun jij slapen!'

Buiten schemerde het. Ze zag daken van huisjes, stoffige bruinrode straten, dorre grasveldjes, hier en daar een wuivende palmboom, verder weg brandde een vuur. Steeds dichter bij elkaar stonden de huizen nu, hier en daar een grauw betonnen gebouw. De wegen werden breder en drukker. Stofwolken trokken achter auto's en vrachtwagens aan. Ze zag treinrails blikkeren, een station in de verte, tot aan de horizon lag Accra nu in de ochtendschemer.

Anum zat inmiddels te bidden, voor zich uit starend, zijn handen gevouwen op zijn knieën, prevelend in zijn eigen taal.

Ze vlogen steeds lager, staken een weg over, een parkeerterrein vol auto's, en opeens landde het vliegtuig met een bons. Anum sloeg een kruisje en vroeg of ze een hotel geboekt had. Hij gespte zijn riem los en nodigde haar uit om bij zijn moeder te komen logeren. 'Je vindt haar vast leuk. Ze kan geweldig koken!' Rosa volgde Anum zenuwachtig het vliegtuig uit, de trap af, en stond op een ander continent. Ze voelde de warme droge wind door haar haar en rook de geur van kerosine nog, maar ook een andere geur, die ze niet kon thuisbrengen: kruidig, zacht, zoetig, de geur van Accra, Ghana of heel West-Afrika misschien. Anum was al doorgelopen naar een gebouw met een plat dak en ze rende achter hem aan. Voordat ze door schuifdeuren naar binnen ging, zag ze in de verte boven de landingsbaan de zon opkomen, indrukwekkend groot, rood en warm.

Anum had drie grote koffers bij zich, Rosa hielp hem de bagage van de band op een trolley te tillen. Zelf had ze weinig bij zich: haar rugzakje met wat luchtige kleren die ze op de luchthaven had gekocht, en haar handtasje met haar paspoort, bankpas en travellercheques. Wat ze verder nodig had, zou ze hier wel kopen, had ze zich voorgenomen. Er stond een rij voor de douane. Paspoorten werden nauwkeurig gecontroleerd. Twee soldaten met baretten en machinegeweren keken toe. Anum liet aan de douanier zijn paspoort zien en mocht doorlopen, maar de Ghanese vrouw die voor Rosa was gedrongen, werd tegengehouden. Zij moest haar tas openen, haar paspoort werd lang bekeken, er kwam een andere man bij in een uniform dat Rosa niet herkende. Hij beet met gele tanden op een houtje, bekeek de vrouw van top tot teen. Ze moest mee naar een verroeste stalen deur, waarachter ze verdween. Zenuwachtig wilde Rosa haar paspoort afgeven, maar ze mocht al doorlopen.

Anum wachtte Rosa op en legde uit dat de douaniers op zoek waren naar horloges, sieraden en contanten om in beslag te nemen en onderling te verdelen. Maar alleen van mensen die er eenvoudig uitzagen en vermoedelijk geen hoge connecties hadden in de politiek of het leger. Corruptie was een van de grootste problemen in Ghana, verzuchtte hij, maar daartegenover stonden veel zegeningen: zo waren er zelden oorlogen en nooit hongersnoden. Rosa vroeg zich af of Ama met haar geld wel veilig de douane was doorgekomen.

Ze gingen naar buiten, een winderig, stoffig plein op. Mannen staarden Rosa aan en ze vroegen zich waarschijnlijk af wat een lange, bleke blondine hier met een wat oudere Ghanese heer deed. Een jongen floot tussen zijn tanden naar haar. Ze was blij dat ze met Anum was en ging dichter bij hem staan. Een groepje vrouwen op slippers kwam voorbij, allemaal droegen ze lange jurken en hoofddoeken van felgekleurde stoffen met de meest uiteenlopende prints, van boomblaadjes tot kurketrekkers en van garnalen tot dollarbriefjes. Ze bekeken haar, begonnen druk met elkaar te praten en liepen weer verder. Op dat moment stopte een oude Datsun naast haar; twee zwarte mannen met ontblote bovenlijven sprongen eruit, duwden haar opzij en tilden een dode geit uit de laadbak, die ze naar een gebouw droegen. Bloed stroomde uit de hals op de straat, onder haar zolen door. Ze keek er vies naar en huiverde. Anum begon te lachen en zei dat ze misschien veel over Ghana gehoord en gelezen had, maar dat één keer ervaren indrukwekkender was. Twee jongens in versleten hemden kwamen naar haar toe en boden haar hun koopwaar aan: sigaretten, zonnebrillen, aanstekers, zakdoekjes, totdat Anum ze wegstuurde. Hij hield een taxi aan en opende het verroeste portier voor Rosa, terwijl de chauffeur de bagage inlaadde.

'Awi Olooti Road,' zei Anum, hij was voorin gaan zitten.

Terwijl ze de stad in reden, keek Rosa benieuwd naar buiten. De chauffeur draaide een grotere weg op en ze reden langs moeders met kinderen die hand in hand over de vluchtstrook liepen, gevaarlijk dicht langs het voorbijrazende verkeer. Nu en dan stak er een fietser over en moest de chauffeur in de remmen. Ze zag billboards met foto's van lachende mensen met namen en data eronder en ze vroeg aan Anum wat die te betekenen hadden. Aankondigingen van begrafenissen, zei hij. 'Doodgaan is hier een groter feest dan geboren worden. Het grootste feest van je leven!' Na een poosje verlieten ze de grote weg en sloegen ze twee keer rechtsaf, een zijstraatje in. Ze reden onder palmbomen door en stopten voor een groot stenen huis van twee verdiepingen, met tralies in plaats van ramen. Anum betaalde en nadat de koffers waren uitgeladen, reed de taxi stapvoets weg. Een magere hond snuffelde aan Rosa's broekspijp. Ze wipte zenuwachtig van haar ene been op het andere.

Anum klopte op de roestige stalen voordeur, maar er werd niet opengedaan. Hij liep via een steegje tussen het huis en een garage door naar het landje erachter. Er klonk een hoge kreet. Een dikke vrouw met gekleurde hoofddoek liet een mand uit haar handen vallen. Ze pakte Anum bij zijn schouders en kuste en omhelsde hem. Uit het huis stapten nu steeds meer mensen. Jongens, meisjes, mannen, vrouwen, het werd drukker rond

Anum. Nu klonk er ook een trommel. Een zware trommel, die in Rosa's buik trilde. Er steeg gejuich op. De meute begon te dansen.

Rosa ging op een krukje in de schaduw zitten en zag Anum te midden van de kring met zijn moeder dansen. Ze voelde tranen in haar ogen opwellen, zo aanstekelijk was hun vreugde. Niemand had oog voor haar, op een meisje van een jaar of tien na. Ze kwam naast haar zitten en voelde met donkere vingers aan Rosa's lange blonde haar. Ze nam een plukje haar tussen duim en wijsvinger, voorzichtig, alsof het heel kostbaar was. Rosa glimlachte en stelde zich aan haar voor. Het meisje antwoordde dat ze Morowa heette.

'Weet je wat dat betekent?' vroeg ze in het Engels.

Rosa schudde van nee.

'Koningin.'

'Wat een prachtige naam!'

'Waar kom jij vandaan?' vroeg het meisje.

'Uit Nederland.'

'Hm. Daar is het heel koud, hè?'

'Vaak wel, ja.'

'Is je haar daarom zo geel?'

Hoofdstuk 11

THOMAS zette zijn fiets tegen zijn iep voor het huis en hoorde door het openstaande raam zijn vader al hoesten. De stenen van het trapje weerkaatsten de warmte van de zon maar toen hij naar binnen ging, voelde hij de koude van de winter nog. Hij nam de post van de mat: reclameblaadjes en een krantje, maar niets van zijn zus. Het enige wat ze van haar hadden vernomen waren een paar regels op een kaartje. Zijn vader had het gelezen en gemompeld: 'Zie je wel, ze geeft niks om ons, Thomas, helemaal niks.' Maar hij had geantwoord dat ze tenminste even aan hen gedacht had. Zijn vader had gezwegen.

Thomas legde zijn boekentas op tafel en dronk in de keuken een glas water, toen ging hij terug de hal in en riep naar boven dat hij een acht had gekregen voor natuurkunde. In plaats van antwoord klonk boven die scheurende hoest weer. Een verkoudheid, deze winter opgelopen, was omgeslagen in een chronische longontsteking. Wekelijks moest zijn vader naar het ziekenhuis voor controle. Als hij thuiskwam, bromde hij zijn longinhoud: 'veertig procent,' of 'achtendertig'. Soms kreeg Thomas het er zelf benauwd van. Het leek hem vreselijk om zo weinig lucht te krijgen.

'Papa, gaat het met je? Wil je iets drinken?' riep hij naar boven.

'Nee, het gaat wel, ik zie je zo wel,' was het antwoord.

Thomas zette in de achterkamer de verwarming aan, want ook hier hing de kilte van de winter nog. Hij begon aan zijn huiswerk voor wiskunde, maar kon zich niet concentreren. De formules liepen in elkaar over, dansten voor zijn ogen. Hij had 's nachts weer gedroomd van de nacht waarin zijn zus dronken was thuisgekomen. Haar woorden: 'Wie zijn vijfentwintig jaar jongere meid neukt, heeft bij mij sowieso z'n morele gezag verloren!' kreeg hij niet meer uit zijn hoofd. Kort na Rosa's vlucht had hij zijn vader gevraagd naar zijn relatie met Ama, maar die had er niet over willen praten. Hij had zelfs op dreigende toon gezegd dat hun moeder, als ze nog geleefd had, ook niet had gewild dat ze telkens ruziemaakten en achterdochtig waren. Thomas had geprobeerd om zijn bedenkingen in de kelder van zijn geheugen op te sluiten, maar het begon er te stinken alsof er kadavers lagen. Zijn vader beweerde dat zijn liefde voor Ama oprecht geweest was, maar Thomas kon zich moeilijk voorstellen dat Ama met zo'n veel oudere en wat zieke man het bed had willen delen. Als hij eraan dacht dat zijn vader het hier in huis met Ama had gedaan, misschien wel in het bed waar zijn moeder had geslapen en misschien wel tegen Ama's wil, voelde hij paniek opkomen. Maar hij durfde zijn vader niet naar de waarheid te vragen. Het was in elk geval gemakkelijker om te geloven dat het liefdesleven van zijn vader zijn zaak niet was. Maar zijn zus had het wél gedurfd. Zij had doorgevraagd. Zij was moedig geweest.

Thomas rilde van de tocht. Het leek steeds kouder in plaats van warmer te worden, zelfs al stond de verwarming aan. Hij wreef in zijn handen, blies ze nog eens warm, dacht weer aan de nacht waarin Rosa was gevlucht. Hij zag steeds scherper haar gezicht voor zich met roodomrande ogen van het huilen, de sigaret tussen haar vingers, hoe ze een hijs nam en de rook in haar vaders gezicht blies. Hij slaakte een zucht en besloot om even pauze te nemen, want leren ging nu toch niet. Het was nu helemaal stil in huis, viel hem op terwijl hij de twee trappen naar Rosa's kamer op liep.

Hij ging in de vensterbank zitten en keek haar kamer rond. De lades en kastdeuren stonden nog open, bij het bed lagen haar kleren nog, en overal op de grond glinsterden de splinters van de spiegeltjes van de glitterbol. Hij ging op haar bed liggen, sloot zijn ogen en dacht terug aan een nacht van een jaar of zes geleden. Hij had akelig gedroomd en was op zijn tenen van de zolder naar deze kamer geslopen. Het was er warm en donker geweest en hij had haar regelmatig en diep horen ademhalen. In het flauwe licht dat door het raam viel, had hij haar gezicht op het kussen gezien met eromheen een krans van haarlokken. Hij was naast haar gaan liggen onder het laken en had naar het plafond getuurd. 'Hou op, 't kietelt,' had ze gefluisterd. 'Ik doe niks hoor,' had hij verbaasd geantwoord omdat hij dacht dat ze sliep. Ze had haar bedlampje aangedaan en het laken opzijgeslagen. Een krekel kroop over haar enkel naar haar kuit en net voordat het beestje in haar nachthemd verdween, ving ze het in haar hand. Ze was bij het openstaande raam gaan staan, had haar handen geopend en samen hadden ze het insect de donkere tuin in geblazen.

Thomas stond op en liep naar de linnenkast, de glassplinters knisperden onder zijn zolen. Op de planken lagen de kleren die ze niet had meegenomen: truien, blouses, panty's, en aan een haakje in de kast hing een paar witte spitzen. Hij nam er een in zijn hand, zag de donkere afdruk van haar hiel en als hij er dieper in keek die van haar tenen. Hij was vroeger samen met zijn moeder weleens gaan kijken als ze een concours danste. Dan waren ze trots op haar geweest. Tegen de deur hingen foto's opgeprikt; pasfoto's, klassenfoto's, kiekjes op het strand. Op één foto stond ze naast hun vader onder de bloeiende kastanjeboom, met op de achtergrond de hoge achtergevel van het huis. Zijn vader droeg een linnen zomerjasje en had een trotse lach op zijn gezicht, dat toen nog rond en vol was. Rosa droeg een rokje en blouse. Hand in hand met haar vader stond ze daar. Een jaar of twaalf was ze toen. Misschien was het wel de zomer waarin hun moeder plotseling ziek was geworden. Ze wisten nog van niks. Nog heel even wisten ze niet wat er op hen af zou komen. Thomas zou wel in die foto willen kruipen en daar voor altijd willen blijven. Hij ging aan Rosa's bureau zitten, nam potlood en papier uit de lade en tekende de foto na. Huis en tuin suggereerde hij met een paar dunne lijnen, vervolgens schetste hij haar gezicht, smalle neus, spitse kin. Hij tekende haar slanke hals en de kleine rondingen van haar borsten. Met streepjes zette hij haar jukbeenderen aan en arceerde hij de schaduwen in de plooien van haar blouse. Toen hij met een vochtige vingertop wat grafiet uit haar ogen veegde, zodat het leek alsof ze glansden, voelde hij zijn eigen ogen vochtig worden. Hij legde zijn tekening in de lade bij de andere schetsen die hij van haar had gemaakt. Hij keek haar kamer weer rond en zag de houten kralen van Ama's ketting op het nachtkastje liggen. Zijn zus had gelijk gehad. Het was naïef om te denken dat Ama het vrijwillig met zo'n ouwe zieke kerel had willen doen. Een kerel die macht over haar had. Als het vrijwillig geweest was, waarom hadden ze hun relatie dan geheimgehouden?

Thomas ging voor de spiegel staan. Hij stroopte zijn mouw op en maakte een spierbal. Het werd tijd dat hij zijn vader naar de waarheid vroeg. Zelfs als zijn vader kwaad zou worden, zou hij doorvragen. Als zijn vader zijn macht misbruikt had, moest hij zich schamen. Hij maakte nu twee spierballen, toen ging hij de kamer uit en een verdieping naar beneden. Hij bleef in de gang voor de prent van de Ghanese katoenplukster staan. Zijn vader had die afbeelding laatst uit een boek gesneden en in een kitscherige lijst met ornamenten hier opgehangen, aan de spijker van *Botters op de Zuiderzee*. Maar waarom uitgerekend deze afbeelding op deze plek? vroeg Thomas zich af. Hij deed een stap naar voren en bekeek de katoenplukster van dichtbij. Met een beetje fantasie zag je de gelijkenis met Ama: het spleetje tussen haar tanden, haar korte kroeshaar en haar vriendelijke gezicht. Ze moest ergens in de achttiende eeuw van de Goudkust naar Nederland verscheept zijn om als dienstmeid voor een rijkaard en zijn gezin te werken, stond in het boek beschreven. En daarná werd ze nog verscheept naar de plantages, om er te werken op zo'n broeierig veld, waar ze vermoedelijk van vermoeidheid en armoe gestorven was. Thomas vroeg zich af of zijn vader Ama vooral dáárom mee naar Nederland had gevraagd, omdat zo'n zwarte dienstmeid zo goed in huize Noordgeest paste. Maar dan was Ama in de fantasie van zijn vader een attribuut geweest, een curiosum, een levend museumstuk. Hij kon zijn walging niet langer voor zich houden.

Thomas riep zijn vader, met zware stem, want hij had inmiddels de baard in de keel. Hij gooide de deur van zijn vaders slaapkamer open, wilde kordaat naar binnen stappen maar bleef geschrokken staan. In de schemering lag zijn vader met een erectie naakt op bed te slapen. Hij lag aan de zuurstof; de fles stond naast zijn bed met de twee doorzichtige slangetjes aangesloten op zijn neusbrilletje, zoals de huisarts het noemde. Zijn voeten staken onder het laken uit; de tenen met lange nagels bewogen nu en dan. Het laken kwam niet hoger dan zijn blote knieën. Zijn lid verslapte even, maar kwam toen met een schokje weer tot leven. Thomas keek weg. Een vioolconcert klonk zachtjes uit de radio op het nachtkastje, die aangaf dat het halfvijf in de middag was. Het werd even stil in de kamer, toen zette het orkest in. Zijn vader kreunde zachtjes, mompelde iets in zijn slaap, ademde rustig verder.

'Papa, papa, luister 'ns naar me.'

Zijn vader scheen hem niet te horen, langzaam en piepend zette zijn borstkas uit en slonk weer. Zijn hoofd, half weggezakt in het kussen, leek kleiner dan normaal. Thomas trok het laken tot over zijn vaders middel en boog zich over zijn gezicht heen. Hij bekeek hem van heel dichtbij, huiverig, alsof hij een enge spin bekeek. Zijn vader was de laatste tijd nog magerder en grauwer geworden. Een ingevallen en gerimpeld gezicht had hij gekregen, met hier en daar op wangen en jukbeenderen een fijn web van rode adertjes. Zijn vader stopte opeens met ademen, opende zijn ogen en schrok zichtbaar van de gestalte die over hem heen hing, toen kneep hij zijn ogen glimlachend tot spleetjes en mompelde hij: 'Dag, m'n jongen.'

Thomas voelde zijn warme, klamme voorhoofd. 'Alweer koorts?' vroeg hij. En zonder een reactie af te wachten stamelde hij erachteraan: 'Papa, we moeten het echt over Ama hebben.'

'Ama,' mompelde zijn vader en kwam kreunend overeind. Zijn ogen glansden. Hij beet op zijn onderlip, staarde voor zich uit, maar toen werden zijn ogen kleiner en harder en zei hij: 'Z'n vader is ziek. Stikt zowat. En wat doet hij? Over de meid beginnen, die 'm bestolen heeft. Moet dat nou? Is álles daar niet al over gezegd?' Hij ademde piepend in en vervolgde: 'Bel liever de dokter, voor een nieuwe afspraak, want die medicijnen werken voor geen meter meer. Weet je wat 't was, met Ama? Verraad. Niet meer en niet minder. Van begin af aan op zoek naar geld, niks anders.' Hij hoestte kort. 'Ze had zo'n mooie toekomst kunnen hebben hier. Vergeet haar, Thomas. Vergeet haar toch!' Hij trok de slangetjes uit zijn neusbrilletje en kwam met vermoeide bewegingen uit bed. Het laken hield hij rond zijn middel, totdat hij met zijn rug naar zijn zoon toe zijn badjas aantrok.

Bezorgd keek Thomas zijn vader na, die in zijn versleten badjas en pantoffels de kamer uit slofte. Zijn woede ebde weg en maakte plaats voor medelijden. De dagen van zijn vader begonnen steeds meer op elkaar te lijken. Nadat hij 's ochtends aan de zuurstof gelegen had, maakte hij een wandeling door de stad. Als hij terugkwam at hij een boterham en las hij de krant. Na de middag moest hij vaak weer aan de zuurstof. Enkele weken eerder had Thomas hem nog in het park gezien. Hij fietste door de mist en dacht een zwerver met een winkelwagentje te zien opdoemen, maar toen hij dichterbij kwam, bleek het zijn vader te zijn met de zuurstoffles in het mandje van zijn rollator; hij zag hem niet eens en slofte voorbij. Nog even en hij zou hulp nodig hebben met aankleden, scheren of boterhammen smeren. Wie dát zou moeten doen, wist Thomas niet. Zijn vader wilde geen hulp in huis, zei hij, omdat hij sinds Ama niemand meer vertrouwde. Maar Thomas had er geen zin in. En als hij over anderhalf jaar zou gaan studeren, zou hij er zéker geen tijd voor hebben. Hij liep met zijn vader mee naar de trap, waar hij op de stoel van het trapliftje ging zitten dat hem via een looprail langs de beelden naar beneden bracht. De huisarts had hun al vaak aangeraden zo'n liftje aan te schaffen, maar zijn vader had niet willen toegeven dat hij er een nodig had, totdat hij op een dag halverwege de trap niet meer verder omhoog kon. Hij was op een trede gaan zitten, buiten adem; zo had Thomas hem aangetroffen toen hij van school thuiskwam.

Thomas bleef boven staan, totdat zijn vader veilig beneden was. Onder aan de trap draaide het stoeltje een kwartslag, zodat hij makkelijker kon afstappen. Zijn vader riep naar boven: 'Hoe was het op school?'

'Een acht voor natuurkunde.'

'Een Noordgeest...', zijn vader ademde piepend in, '... is niet tevreden met een acht.'

Hoofdstuk 12

ROSA zette de sirene aan en moest lachen om de kinderen die juichend met de ambulance meerenden. Badu, de jongste zoon van Anum, slalomde tussen de gaten en kuilen door. Hij had de ambulance tweedehands gekocht en gebruikte hem al jaren als taxibusje, maar vandaag was Rosa zijn enige passagier. Ze had in de drie maanden dat ze nu in Ghana was wel zeven Ama Mensahs ontmoet en vandaag reed Badu haar door de buitenwijken van de stad naar een dorpje even verderop. Hij had van een achternichtje gehoord dat daar een Ama Mensah woonde die in Nederland gewerkt had.

Pas toen ze de sloppenwijk uit waren, zette Rosa de sirene af en zakte ze onderuit. Nu ze op weg was naar weer een volgende Ama, dacht ze terug aan haar eerste weken in Ghana. Anum had haar geholpen het schooltje te vinden waar haar vader Ama ontmoet moest hebben. Een oude zuster had de poort opengemaakt en Rosa te woord gestaan. De zuster herinnerde zich haar vader nog en was heel benieuwd hoe het Ama verging in Nederland. Ze had Ama's rieten huisje laten zien, waarvan het dak inmiddels na een hevige regenbui was ingestort. Ze kon Rosa niet verder helpen, en ook de andere mensen op de compound wisten niet waar Ama was. Rosa was teleurgesteld teruggegaan naar het pleintje, waar Anum nieuwsgierig stond te wachten. Hijzelf had enkele dagen daarna weer terug gemoeten naar zijn kerk in Nederland en had zijn jongste zoon gevraagd om Rosa verder te helpen.

Rosa keek vanuit haar ooghoeken naar Badu. Hij had een vriendelijk symmetrisch gezicht, mooie tanden en gespierde armen. Drie jaar ouder dan zij was hij en ze vond hem aantrekkelijk. Ze hadden al eens gezoend, maar waren nog niet verder gegaan. Laatst had ze in de berm moeten plassen en had hij zijn rug naar haar toe gedraaid. Toen ze weer in de ambulance was gestapt, had hij verlegen geglimlacht, maar niks durven zeggen, zelfs geen grapje gemaakt. Ze kende niemand die zo vriendelijk en hoffelijk was als hij.

Na een paar kilometer sloeg Badu linksaf, een smaller weggetje in. In de verte lag een dorp, niet meer dan een paar lemen hutjes met rieten daken bij elkaar. Badu parkeerde de ambulance tussen de hutten en sprong eruit. Een oude man met een stok kwam uit een huisje en keek argwanend naar Badu, naar de ambulance en naar haar. Zijn linkeroog was grijs, zijn gezicht gerimpeld; het leek wel van leer. Badu begon een praatje met hem. De man luisterde naar Badu, keek weer naar haar, wees toen met een kromme vinger naar een paar kippen en een haan die voor het hutje scharrelden. Badu riep dat de oude man voor haar al zijn kippen bood.

Ze lachte en riep: 'Daar doe je me niet voor weg, toch? Heeft hij geen koe of zo?'

'Een koe en een varken, minstens één varken, dan zal ik erover nadenken,' antwoordde Badu in het Engels. Hij praatte nog even met het dorpshoofd en gaf hem toen een paar bankbiljetten, waarna de oude een hutje aanwees – Badu liep ernaartoe, riep iets en klapte in zijn handen.

Rosa begon zenuwachtig op een nagel te bijten en was benieuwd wie er naar buiten zou komen; zou het eindelijk Ama zijn? Er kwam een kleine gedrongen vrouw met brede neusvleugels en scheve tanden naar buiten. Badu zei iets tegen de vrouw, gaf haar wat geld en kwam teruggewandeld. 'En?' vroeg hij hoopvol.

Ze schudde teleurgesteld van nee.

'Wie weet de volgende keer, als God het wil,' zei Badu en hij sprong achter het stuur.

'Twijfel je nooit?' vroeg ze.

'Natuurlijk wel, maar na de twijfels kom ik altijd terug bij Hem en is mijn geloof nog sterker geworden.'

'Nee, over of we Ama vinden!'

Ze lachten om het misverstand. 'We weten niet eens of ze wel in Ghana is,' zei Badu. Hij startte de ambulance en reed terug naar de weg.

Rosa draaide het raampje verder open en keek uit over de savanne. Ze rook de lekkere geuren van gras en kruiden: tijm, kardemom, gember? In de maanden dat ze hier was, had ze Nederland niet één keer gemist. Integendeel, ze voelde steeds sterker dat ze niet terug wilde, omdat ze het leven hier interessanter vond dan daar. De vrijheid, het buiten zijn, de mensen, de warmte, het beviel haar. Omdat ze zeker wist dat ze voorlopig niet meer naar huis zou gaan, had ze een briefje naar huis geschreven, met een foto erbij en haar adres, zodat haar vader en broertje haar in noodgevallen konden bereiken. Het zou tegen deze tijd wel zijn aangekomen. Het had haar opgelucht toen ze het op de post had gedaan, omdat ze zich kon voorstellen dat het hen zou opluchten om weer iets van haar te horen. Ze dacht aan Nederland, waar de dagen na zo'n lange winter eindelijk langer waren, maar waar het 's nachts nog koud kon zijn. Ze stelde zich voor dat het er regende en waaide en dat haar vader en broertje binnen zaten te eten aan die veel te grote tafel met de dikke gordijnen gesloten. Misschien lag haar foto tussen hen in en hadden ze het over haar. Ze zouden wel verbaasd zijn dat ze in Ghana was. Haar vader zou er wel kritisch en bezorgd over zijn. En mocht hij Ama inderdaad tot seks gedwongen hebben of zelfs zwanger hebben gemaakt, dan was hij zeker bang dat ze Ama zou vinden. Nee, ze had voorlopig geen plannen om naar huis te gaan, integendeel, ze wilde hier het komende jaar blijven en dacht zelfs na over een nog langere toekomst in Ghana.

Toen ze de stad weer in reden, vroeg Badu of ze weleens palmwijn geproefd had en stopte hij voor een barretje. Ze gingen aan een van de houten bankjes onder het rieten afdak zitten, waarna een jonge vrouw met een soeplepel twee kommetjes met de troebele vloeistof vulde. De palmwijn smaakte zoet en de alcohol steeg haar meteen naar het hoofd. Ze vertelde Badu over haar plannen om langer in Accra te blijven en legde zenuwachtig haar hand op zijn bovenbeen, waarna hij haar eindelijk weer zoende. Zijn lippen waren zacht en warm en ze voelde heel even het puntje van zijn tong, toen hielden ze ermee op omdat het niet op prijs gesteld werd in het openbaar. Ze waardeerde het dat hij de tijd nam om haar beter te leren kennen, tegelijkertijd kon ze soms niet wachten om verder te gaan. Toen ze de palmwijn op hadden, zag Rosa op haar horloge dat ze al terug in de stad had moeten zijn voor de les.

Badu parkeerde een halfuur later de ambulance voor de garage van huis Van der Zee, waar Rosa een kamer gekregen had op de eerste verdieping, naast twee nichtjes van Badu. Ze zaten altijd over Badu en haar te roddelen en vroegen telkens of ze zouden gaan trouwen. Nu ze besloten had om langer in Accra te blijven, wilde ze iets voor zichzelf.

Rosa stapte uit de ambulance en rekte zich uit. Het begon al te schemeren buiten en de garagedeur stond wijd open. Ze zag Maanu en haar broertje Kwaku aan een van de tafels zitten. Maanu lakte haar nagels terwijl Kwaku met een schroevendraaier een speelgoedautootje uit elkaar probeerde te halen. Als Rosa niet naar Ghana was gekomen, hadden ze nog op straat geleefd. Badu had haar op een dag naar de vrouwengevangenis gebracht, om te zien of daar misschien een Ama Mensah gevangen zat. Als Ama inderdaad met het geld dat ze in Nederland verdiend had in Accra was aangekomen, zou ze misschien op het vliegveld door douaniers opgepakt, beroofd en beschuldigd zijn van een of andere overtreding, zodat ze haar een poosje konden opsluiten en van haar af zouden zijn. Voor de gevangenis hadden Maanu en Kwaku onder een zeiltje gezeten; ze wachtten daar totdat hun moeder zou vrijkomen. Rosa had ze meegevraagd naar de compound en ze met toestemming van familie Van der Zee in de garage onderdak geboden. Ze had eens aan Kwaku gevraagd wat hij later wilde worden. Hij zei ervan te dromen later bussen te slopen, want hij had het oudere jongens op werkplaatsen zien doen en daar keek hij tegen op. Maar het was zwaar, gevaarlijk en ongezond werk. De volgende dag had ze een schoolbord en krijtjes gekocht, een paar tafels en stoelen, boeken, schriften en schrijfgerei.

Rosa ging de garage binnen en vroeg aan de kinderen of ze al gegeten hadden, want wie honger heeft kan zich moeilijk concentreren. Omdat ze zeiden dat ze sinds die ochtend niks gegeten hadden, ging Badu bij zijn oma een paar borden halen. Het werd nu snel drukker in de garage. Daar kwam Monifa aan geslenterd, een meisje van tien jaar oud, dat op een kruispunt flessen water verkocht. Haar naam betekende *ik ben gelukkig*, had ze eens verteld. Rosa vond veel Ghanese namen prachtig. Umi, *het leven*, en zijn broertje Useni, *vertel me*, kwamen de garage in en zochten aan een van de tafeltjes een plaatsje uit. Zij woonden samen met hun vader onder de spoorbrug. En toen kwamen Enyonyam, *het is goed voor me*, Fifi, *geboren op vrijdag*, en Addae, *ochtendzon*, er nog bij. Maar de mooiste naam vond Rosa misschien nog wel Kufuo: *de vader deelde de pijnen van de geboorte*. Kufuo's vader was overigens door een vrachtwagen overreden terwijl hij langs de vluchtstrook plastic verzamelde, en zijn moeder tippelde sindsdien elke avond langs de boulevard.

Rosa had op televisie weleens programma's gezien over hulp aan derdewereldlanden en ook kritische geluiden gehoord over de arrogante houding van het Westen om altijd maar te weten wat voor anderen het beste is. Maar ze had er zelf plezier in en ook de kinderen werden er vrolijk van, dus waarom zou ze het níét doen? En of het werkelijk helpen was, moesten anderen maar bepalen.

In afwachting van het eten van de oma van Badu, ging Rosa

alvast voor het bord staan en ze pakte een krijtje. ‘Monifa, jouw beurt,’ zei ze. ‘Lees de eerste alinea van hoofdstuk vijf en dan zullen we zien welke nieuwe woorden we tegenkomen, oké?’

Monifa knikte en sloeg *The Pearl* van John Steinbeck open.

Hoofdstuk 13

TOEN Thomas met zijn boekentas onder zijn arm naar boven ging, zag hij op de eerste verdieping een muis langs de plint waggelen. Hij zette zijn tas neer, trok een schoen uit en gooide die, maar de muis was de slaapkamer van zijn vader al in. Hij ging erachteraan en kon het beestje nog net over het tapijt zien rennen, waarna het achter de kast verdween. Thomas gluurde in de schemerige ruimte tussen kast en muur en zag daar een rechthoekig pakketje staan. Hij stak nieuwsgierig zijn hand in de smalle ruimte en trok het tevoorschijn. Het woog niet veel en was slordig met kranten en plakband omwikkeld. Nadat hij het papier van een hoek had gescheurd, zag hij met een mengeling van opwinding en verbazing een houten lijst. Toen hij het pakket helemaal had uitgepakt, hield hij zijn adem in.

Het laatste daglicht dat tussen de wolken door viel, de schepen met de wind in de roestbruine zeilen, de golven op het water; hij keek naar *Botters op de Zuiderzee*. Hoe was het mogelijk, dacht hij, dat dit hier stond? Had Ama het hier neergezet? Maar waarom dan? Hij kon geen verklaring bedenken. Met het schilderijtje onder zijn arm ging hij naar beneden, naar de grachtenkamer, waar zijn vader bij de Noord Welvaren stond. 'Papa, papa, moet je zien!' Hij hield de De Bruin als een wedstrijdbeker omhoog.

Zijn vader keek op en liet een doos met klosjes garen uit zijn handen vallen; ze rolden over de vloer alle kanten op. Zijn longen begonnen hoorbaar te piepen. Hij zocht steun aan de tafel en stamelde iets, maar Thomas verstond het niet. Toen Thomas zag hoe bleek zijn vader werd, zei hij: 'Rustig maar, papa. Ga even zitten.'

Willem ging zitten en hapte naar adem. Hulpeloos keek hij naar Thomas, naar het schilderij, en weer naar Thomas. Hij wees met trillende vinger naar de zuurstoffles, die naast het bureau stond, waarna Thomas de fles naast zijn vader zette en het slangetje op zijn neusbrilletje aansloot.

Met gesloten ogen haalde Willem adem. Toen hij wat rustiger werd, zei hij: 'Laat me maar even, Thomas. Heel even, alsjeblieft.'

Thomas zette het schilderijtje op de stoel bij het bureau. 'Het stond op je kamer, achter de kast. Hoe kan dat nou, papa!'

'Dadelijk, Thomas, dadelijk!' Willem sloot zijn ogen weer.

Thomas bleef vertwijfeld staan. Ten slotte besloot hij om zijn vader een moment alleen te laten.

*

Willem ademde paniekerig zijn nieuwe medicijn in. Hij werd licht in het hoofd en zijn kruin begon te tintelen. Heerlijk was het om zo veel lucht te krijgen. Wat zijn longarts sinds kort vermengde met de zuurstof in de fles, wist hij niet, maar het wérkte. Hij zou het de hele dag wel willen ademen, maar dat was hem met klem afgeraden omdat het middel nog in de testfase was. Een kleine kans op een betere kwaliteit van leven, had zijn arts gezegd. Eén ding was zeker: zonder dit nieuwe medicijn stikte hij zowat van de almaar toenemende schaamte. En nu had Thomas het schilderij gevonden! Het stond daar op de stoel alsof iemand het zojuist van de muur had genomen of wilde gaan ophangen. Hij wilde, kón er niet naar kijken, voelde een diepe angst in zich opkomen en wendde zijn blik af.

Met bonkende slapen keek hij ter afleiding naar de Noord Welvaren. Niets leidde beter af dan dit schip; het werken eraan had hem altijd rust gebracht. Zojuist had hij de laatste mast vastgezet. De lakens voor de grootzeilen lagen opgevouwen naast de naaimachine klaar: het beste laken dat hij had kunnen vinden, van dichtgeweven katoen. Zodra hij ze genaaid had, hoefde hij alleen nog de lijkentouwen aan de zomen te zetten en aan de ra's te steken, dan was het klaar. Anderhalve meter hoog en twee meter lang was zijn model van het machtigste slavenschip dat ooit op aarde gebouwd was. Op ooghoogte op tafel leek het nóg groter. Hij schatte dat het zo'n tachtig kilo woog aan hout, koper, glas, messing, touw, textiel, leer, en nog wat andere materialen. De helft van de kanonnen, achtenvijftig stuks, leek wel op hem gericht. Trots keek hij naar het wapen van de stad dat hij tussen twee wulpse meerminnen secuur met mes en bijtel uit het eikenhout gesneden en gestoken had. Wekenlang was hij daarmee bezig geweest, maar het was de moeite waard geweest.

Hij boog zich voorover en tuurde door het ruitje van het zijkasteel aan bakboord, waar het bed van de kapitein stond. Het deurtje naar de kapiteinshut erachter stond open, met de lange tafel met de minuscule kaarsjes in koperen kandelaars, waaraan ook de officieren gegeten hadden. Diep onder hen, in de buik van het schip, hadden de slaven opgesloten gezeten. Heerlijk was het geweest om aan het schip te bouwen en om daarbij zijn fantasie de vrije teugel te laten. De geschiedenis van de Noordgeesten was even groots als afschrikwekkend, even mooi als weerzinwekkend, en juist daarom zo interessant.

Dat het schip nu bijna af was, was geweldig maar ook beangstigend, realiseerde hij zich maar al te goed, want wat had hij nu nog te doen? Voor nóg zo'n project had hij de tijd en de energie niet meer. Hij ademde weer zijn medicijn in en vroeg zich af wat hij nog van het leven te verwachten had. Hij had een prachtige carrière gehad en alle zeeën en oceanen mogen bevaren. Hij was verliefd geworden, had kinderen verwekt, huize Noordgeest gekocht en gerenoveerd. Hij had gevreeën en gelachen, mooie wijnen gedronken – ja, het was een rijk leven geweest. Maar ook rijk aan leed, want hij had zijn vrouw veel te jong verloren en daarna grote problemen met zijn dochter gehad. Maar gelukkig was zijn zoon ondanks alles een betrouwbare kerel geworden. Met een gerust hart durfde hij hem het huis na te laten. Thomas zou gaan studeren en daarna ongetwijfeld een goede baan vinden en carrière maken, zoals hijzelf had gedaan. Maar nu had Thomas het schilderij gevonden! Hoe had hij ook zo stom kunnen zijn om het te bewaren? Hij had het lievelingsschilderij van Annigje niet kúnnen weggooien, zo simpel was het. En hij kon het nog steeds niet.

Opnieuw keek hij ter afleiding naar het schip, dat hij aan

het Rijksmuseum zou schenken. En als het Rijks het niet wilde, dan aan het Scheepvaartmuseum of aan het gemeentehuis van de stad waar het schip van stapel was gerold. Als het af was had hij niks meer te doen dan wachten op het einde. Het liefste werd hij in de tuin begraven, onder een marmeren deksteen met zijn naam erin gebeiteld. Of in een klein mausoleum onder de kastanjeboom, met een classicistisch lijstgeveltje, als dat zou mogen! Of nog beter, in een marmeren sarcofaag in de hal. Maar misschien moest hij zich laten cremeren, tegen zijn gevoel in weliswaar, want verbranden in zo'n oven stond hem tegen, maar dan kon Thomas hem in de tuin uitstrooien.

Hij ademde zijn medicijn diep in en voelde zich nu zo licht worden dat het hem niet zou verbazen als zijn stem een paar octaven hoger klonk. Zijn ogen werden naar het schilderij toe getrokken, hij wilde er niet naar kijken maar moest wel. Hij voelde zijn handen klam worden van het zweet en wreef ze aan zijn broek af. Moest hij doen alsof hij niet geweten had dat het daar al die tijd had gestaan? Maar waarom zou Ama het daar dan hebben neergezet? Wat moest hij zijn zoon vertellen? Ama, ze had... hij had haar ook kunnen... nooit moeten... maar als je alles van tevoren weet, dacht hij paniekerig, dan... en nu Thomas het schilderij... die lieve jongen zou... zijn zoon wist toch... zijn zoon wist veel van hem: van zijn moeilijke jeugd in de slagerij, van zijn carrière daarna, en ook hoe hij Annigje had leren kennen. En bij alles wat er daarná gebeurd was, bij alle hoogte- en dieptepunten, was Thomas zelf geweest. Nou ja, bij bijna alles. Wat zijn zoon niet wist, kon hij maar beter meenemen in zijn graf, had hij altijd gedacht. Lang zou dat niet meer duren, want déze geschiedenis, dit geheim, waar hij nooit iemand over verteld had, drukte inmiddels zo zwaar op zijn borst dat het eerdaags zijn dood zou worden. Wat zou het hem opluchten om het Thomas eerlijk te vertellen! Hij zou minstens een jaar langer leven.

Het schilderij in zijn ooghoeken scheen nu tot leven te komen. De Botters begonnen zachtjes op de golven te schommelen; de roestbruine zeilen werden lichter en toen donkerder. Hij knipperde een paar keer met zijn ogen, waarna het doek tot rust kwam. Hij ademde uit – met zo veel kracht dat het hem niet zou verbazen als hij de Noord Welvaren van tafel blies.

Als hij het schilderij nu nog niet vernietigde, dan zou zijn zoon het in helder daglicht bekijken, vroeg of laat – en wat hij dán zou zien, zou nieuwe vragen oproepen. Vragen waar hij nog steeds geen smoes voor bedenken kon. Hij was niet meer opgewassen tegen de vragen van zijn kinderen, was er te zwak voor geworden. Hij voelde zijn knieën knikken en de kamer begon te draaien. Het zou toch veel makkelijker zijn om het op te biechten, om het voor eens en voor altijd uit te spreken?

Allerlei ideeën kwamen nu in hem op. Dat het bijkans misdadig was om zó'n groot geheim te verzwijgen. In elke familie was toch wel zo'n verhaal, dat op het laatste ogenblik verteld werd, met de haven in zicht? Een verhaal dat uit schaamte of schuld nooit verteld was, maar dat nu, zo kort voor het sterven, met één vertrouweling werd gedeeld? Van vader op zoon, van moeder op dochter, zo was de traditie vaak. Het verstevigde en bevestigde de relatie met die bloedverwant, met die nazaat; het gaf blijk van vertrouwen in de ander. Hij had dit al eens eerder bedacht, herinnerde hij zich nu, maar wist niet meer wanneer.

Hij ademde diep in en voelde hoe zijn ogen wegdraaiden,

naar boven, van genot. Behalve zijn kruin begonnen ook zijn ruggengraat, handen en voeten te tintelen, tot aan zijn tenen toe.

Zijn geheim had zich grotendeels hier, tussen deze muren en onder dit dak, afgespeeld, en was daarmee historie van huize Noordgeest geworden, besefte hij maar al te goed. Het had niet langer geduurd dan zo'n twee jaar in de tweede helft van de twintigste eeuw, maar toch had het invloed op het geheel, op de totale geschiedenis van het huis en de familie, zoals één pepertje een heel gerecht anders kan doen smaken. Moest hij zo'n verhaal meenemen zijn graf in? Eenmaal hardop uitgesproken zou het nooit sterven. Als hij het Thomas zou vertellen, zou het zelfs na jaren, decennia, eeuwen érgens nog doorverteld worden. In een kamer, op een zolder, in een kerk, op een schoolplein, onder een boom, aan een sterfbed.

En bij dit besef van onsterfelijkheid ademde Willem nog eens diep in – gewichtloos was hij nu. Hij steeg op, zweefde, als een ballon aan een doorzichtig slangetje. Misschien had hij dáárom ook wel, onbewust, het schilderij bewaard, begreep hij nu. Het verhaal aan Thomas te kunnen vertellen, aan zijn zoon, dat zou hemels zijn. Een groter eerbetoon kon hij aan hem niet brengen. Maar hoe zou hij reageren? Zou hij er iets van begrijpen? Thomas was een échte Noordgeest. Hij had zich altijd al geïnteresseerd voor zijn komaf, zijn stamboom, zijn geschiedenis, de verhalen over zijn voorouders. Thomas snapte dat hij de toekomst nooit zou begrijpen als hij zijn eigen geschiedenis niet kende. En, even belangrijk misschien, Thomas was geen jochie meer, maar een man – en voor een man was het makkelijker om te begrijpen wat er tussen hem, Willem Noordgeest, en de Ghanese meid Ama Mensah was voorgevallen. Als hij het aan Thomas zou vertellen dan zou hij, wie weet, wel begrip krijgen van zijn zoon. Begrip van zijn zoon, dat was het mooiste dat hij zich kon voorstellen.

Had hij nog een keuze? Was er nog een alternatief? Wílde hij een alternatief, een nieuwe leugen, wéér een leugen? Er leek geen ontkomen meer aan om het Thomas te vertellen. Terwijl hij naar het schilderij keek, ademde hij voor de laatste keer zijn medicijn in. Toen trok hij de slangetjes uit zijn neusbrilletje, ging de gang op, de rode loper over, naar de achterkamer, waar Thomas televisie keek, en zei: 'Ik moet je iets vertellen, Thomas.'

'Gaat het weer een beetje met je? Bizar, toch, die De Bruin? Ik begrijp écht niet hoe...'

'Het is belangrijk, Thomas. Heel belangrijk,' onderbrak Willem hem. 'Kom, dan maken we eerst vuur.'

'Vuur? Maar het is toch niet koud?'

'Bij een goed verhaal hoort vuur. Ze werd zwanger – Ama, bedoel ik.'

'Hoe bedoel je, zwanger,' antwoordde Thomas verbaasd. Hij zette de televisie uit. 'Waar héb je het over, papa.'

Willem liep naar de haard, nam een krant uit de kist, verfrommelde die en zette er wat takjes en latjes tegenaan. Hij stak met een lucifer de krant aan. De vlammen vraten zich in het papier en al snel brandde het eerste takje. 'Kom eens hier zitten, m'n jongen.' Hij wees naar de stoel bij de haard.

Thomas ging zitten, tegenover zijn vader, en legde aarzelend zijn armen op de leuningen. Zijn vader ging tegenover hem zitten.

'Ik heb haar zwanger gemaakt, Thomas,' zei Willem.

Thomas begon te lachen. 'Pa, je hebt koorts. Je ijlt. Moet ik de dokter bellen?'

'Ik ben helderder dan ooit. Ze werd zwanger, van mij, Thomas.'

'Papa, doe normaal!' Thomas keek zijn vader lang en onderzoekend aan, terwijl het vuur steeds feller brandde. Het hout siste en knetterde. Ritselend zakte er iets in elkaar.

'We hadden vaak seks met elkaar, soms wel twee of drie keer per dag, als jullie naar school waren, maar op een dag was ze zwanger,' begon Willem. Zijn stem klonk rustig en helder in deze kamer, met het dikke vloerkleed, de zware gordijnen en de wandbespanningen, die elke echo absorbeerden. Geen kamer in huis had een betere akoestiek.

En Thomas luisterde met stijgende verbazing naar zijn vader, die vertelde dat Ama op een avond naar hem toe gekomen was met het nieuws dat ze al minstens drie maanden zwanger was.

'Ama, al drie maanden, van jou,' stamelde Thomas verward.

'Zo is het.'

'Nou, dat zou me wat zijn, zeg. Onmogelijk is het niet, natuurlijk.' Thomas stond op en legde nu zelf houtblokken in de haard: kastanjehout uit de tuin. Hij blies er de vlammen in en staarde in het vuur. Hij vroeg zich af of het mogelijk was dat zijn vader hem voor de gek hield en het allemaal verzon, maar hij kon geen reden bedenken waarom zijn vader dát zou doen. Hij ging weer tegenover zijn vader zitten en zei: 'Ga verder, papa, ik luister.'

'Nou, pas toen ze het zelf zei, zag ik dat ze wat dikker geworden was, Thomas. Haar heupen maar vooral ook in haar gezicht.'

'Jezus,' mompelde Thomas. 'En toen?'

Willem schraapte zijn keel. 'Ik vroeg haar of ze het wilde houden.'

'En?'

'Ze wilde het houden. Maar ik wilde helemaal geen kind van haar. Ik hield van haar, een beetje, maar het was anders dan met

Annigje. Ik bedoel, het was meer lust dan liefde, misschien zelfs alléén maar lust. In het begin was er wel liefde hoor, maar het werd steeds dierlijker, onze relatie bedoel ik, en op het laatst praatte ik nauwelijks nog met haar; ik deed het alleen nog maar met haar.'

'Ga verder over haar zwangerschap!' zei Thomas en hij ging op het puntje van zijn stoel zitten. Dat Ama hier in huis maandenlang zwanger geweest was van een halfbroer- of zusje van hem greep hem zo aan dat hij alleen daar nog over wilde horen.

'Tja, omdat ik haar kind niet wilde, wilde Ama terug naar Ghana. Dan zou ze daar het kind baren en haar leven verder opbouwen. Het enige dat ze van me vroeg, was geld. Genoeg geld om in Ghana voor het kind te kunnen zorgen.'

'Ga verder. Ga verder!'

'We zouden alles zijn kwijtgeraakt,' zei Willem stellig. 'Ze zou telkens om meer geld hebben gevraagd. Eerst voor kleine dingen, kleren of een wiegje, dan voor de huur en zijn school, vervolgens een auto of een huis. Je weet toch hoe dat gaat? En al helemaal in zo'n arm land, met een vader uit een rijk land. En wat dacht je dat er gebeurt als zo'n kind ouder wordt en naar zijn vader gaat vragen? Stel dat 't op zijn zeventiende of zo naar Nederland komt om te zien wie zijn vader is? Zijn oude vader, die nooit de moeite nam om 'm op te zoeken, laat staan om hem op te voeden! En stel dat hij dan jou zag, Thomas: zijn verwende oudere broer.'

'Dan zou hij om uitleg vragen,' zei Thomas.

'Precies. Eerst uitleg vragen en dan genoegdoening eisen.'

'Geld, want verder is er weinig meer aan te doen, na al die jaren.'

'Precies, Thomas! Jij begrijpt het! Ik hoopte al dat je het zou begrijpen.' Willem pauzeerde even en zei toen: 'Wanneer is het genoeg? Wanneer heb je zo'n morele schuld afbetaald? Is het ooit genoeg? Thomas, we zouden álles zijn kwijtgeraakt.'

Thomas ging op zijn knieën zitten en blies het vuur weer aan in de haard, daarna legde hij er nieuw hout op. Hij keek naar zijn vader en zag een gloed op zijn bezwete, gerimpelde gezicht. 'En dus, papa? Ama wilde terug naar Ghana, jullie kregen er ruzie over, en daarna?'

'Daarna heb ik haar geslagen, om m'n woorden kracht bij te zetten als het ware. Misschien ook wel in de hoop dat ze zo van me zou walgen dat ze de zwangerschap toch zou willen afbreken. Maar toen ik even later bij haar ging kijken, was ze haar koffer al aan het pakken.' Hij zweeg even, weifelend, en besloot om zijn zoon alles te vertellen omdat er geen houden meer aan was. 'En toen ze naar de trap ging, raakte ik in paniek en heb ik... op de gang, van het dressoir... de klepel gegrepen.'

'De klepel,' herhaalde Thomas.

'Als er een ganzenveer gelegen had, had ik díé gegooid, maar er lag een klepel... uitgerekend die zware bronzen klepel... op d'r achterhoofd. Ik zal het geluid nooit vergeten, toen haar schedel brak.'

Thomas hield zijn adem in. Na een paar tellen ging hij staan. Hij keek op zijn vader neer en zei: 'Ha, ha, ha, papa. Leuk, hoor. Leuke grap. Ik ben erin getrapt. Heel knap. Maar nou heb ik meer te doen.'

Willem kneep zijn ogen dicht en schudde langzaam zijn hoofd. 'Geloof je me niet?'

'Hoe kan ik zoiets geloven, papa.'

'Het was geen voorbedachte rade, hoor. Ik heb nooit gedacht: als ze eens zwanger wordt, dan doe ik haar iets aan.'

'Ja, ja, papa. Je zegt maar wat. Maar nou is het genoeg, oké?'

'Eerst was er lust, Thomas! Maar toen ze zwanger bleek was er angst. En toen ze het kind wilde houden was er paniek. In paniek heb ik die klepel naar d'r hersens gegooid. En toen zette ze nog één stap en viel ze voorover van de trap. Beneden op het marmer lag ze te bloeden. Het leek wel alsof mijn ene oog walgde van wat het zag, maar m'n andere oog het goedkeurde omdat het de enige oplossing was.'

Thomas keek nadenkend op zijn vader neer. Hij probeerde weer een antwoord te vinden op de vraag waarom zijn vader zo'n verhaal zou verzinnen, maar hij kon niet één reden bedenken, en dat verontrustte hem steeds meer. Hij ging zenuwachtig weer tegenover hem zitten. Het leer van de stoel voelde warm van het vuur. Alles voelde warm: de lucht in de kamer, zijn gezicht, zijn handen en voeten. Hij begon te zweten en voelde druppels door zijn hals rollen. 'Maar, hoe deed je dat dan allemaal, papa? Haar lichaam, waar is dat gebleven? Dat kan toch niet zomaar? En dan waren wíj er nog, Rosa en ik, wij zouden het toch wel gemerkt hebben? Gehoord hebben? Je liegt, man!' riep Thomas.

Willem vertelde dat er een bons geklonken had toen Ama beneden was neergevallen. Nadat hij haar in een plastic zeil gewikkeld had, had hij haar buiten voor de deur, in het donker, in de kofferbak van zijn auto getild. Gelukkig woog ze niet zo veel, want anders was het hem in z'n eentje nooit gelukt.

Thomas begon door de kamer te ijsberen. Het zweet stroomde over zijn gezicht. Hij trapte een stoel om, sloeg met zijn vuist een vaas van de schouw. Hij zag het lieve gezicht van Ama voor zich, pakte de dunne, lange pook en dreigde zijn vader ermee.

Willem dook in elkaar in zijn stoel.

Thomas pakte hem bij zijn dunne grijze haar, trok zijn hoofd achterover, duwde de punt van de pook tegen zijn adamsappel en zei: 'Ga verder.'

'Ik bracht haar naar een kanaal buiten de stad,' zei Willem met schorre stem. Zijn adamsappel ging even omhoog toen hij slikte.

Thomas drukte de punt van de pook nu op zijn vaders borst, ter hoogte van zijn hart. 'Ga verder!'

Willem vertelde op zachte en beschaamde toon, zonder Thomas aan te durven kijken dat hij de auto geparkeerd had en haar lijk in het water had laten glijden. 'Een prachtige nacht, Thomas. Ik weet het nog precies: nauwelijks wind, kraakhelder, schitterende sterren.'

'Moordenaar,' fluisterde Thomas. Hij ging weer zitten in de stoel tegenover zijn vader, maar hield de punt van de pook op hem gericht.

'Geen moordenaar, Thomas. Het was een ongeluk. Ik had die klepel uit frustratie ook door het raam kunnen gooien, maar ik gooide hem naar haar. Mijn grootste misdaad is niet dat ik die klepel gooide, maar dat ik haar lijk wegwerkte. Ik had de politie moeten bellen. Heb jij ook zo'n dorst? Bloedheet hier.' Willem wilde opstaan om water te halen, maar Thomas zwaaide met de pook en riep: 'Zitten jij! Ga verder! Details. Ik wil alle details.'

'Tja, wat valt er nog te vertellen, m'n jongen? Ik was er vrij zeker van dat ze voorlopig niet gevonden zou worden. Zo'n lijk zinkt naar de bodem en met die stroming en de golfslag van al die schepen daar zou het kilometers verderop pas bovenkomen. Tussen een rietkraag, bij een sluis, in een verlaten bocht. En áls ze haar eindelijk zouden vinden, zou het onmogelijk zijn om nog te achterhalen wie zij geweest was. Ze had niet eens een verblijfsvergunning meer en stond nergens geregistreerd. Nee, daar maakte ik me weinig zorgen over. Toen ik thuiskwam heb ik alle sporen uitgewist, voor zover mogelijk. Het was minstens vier uur toen ik eindelijk in bed lag. En daarna maakte Rosa me dus wakker, omdat Ama weg was. Als je het mij vraagt hebben ze haar nooit gevonden, tenminste, ik heb er nooit iets van gehoord of gelezen in de krant.' Willem staarde zwijgend in het vuur.

Er viel een stilte. Thomas keek fronsend naar zijn vader. Er was iets dat hij nog niet begreep. Na een poosje vroeg hij: 'Maar papa, die diefstallen, dat schilderij... Dat is dus allemaal...' Hij had moeite om te beseffen hoe bizar zijn vraag was. Hij had sowieso moeite om te beseffen hoe bizar de hele situatie was. Hij voelde zich vervreemd van de kamer, van het haardvuur en vooral van zijn vader, die daar zo rustig in het vuur zat te staren.

'Nou, Thomas, daar zaten dus bloedspetters op,' zei Willem. 'Die klepel, die raakte haar precies toen ze voor het schilderijtje stond. Op de muur zat ook bloed, maar dat kreeg ik er wel af.'

'Hm,' deed Thomas – meer kwam er niet meer uit hem.

'En dus moest het weg.'

'Weg...'

'Ik had het kunnen verbranden, maar dat kon ik niet. Ik kon het niet over m'n hart verkrijgen, vanwege Annigje. Haar schilderij, waar ze zo van gehouden had.'

'Mama,' mompelde Thomas en hij keek geschokt naar zijn vader, die tegenover hem in de leren fauteuil zat en zijn benen kalm over elkaar sloeg. Hoewel hij niet aan de zuurstof lag, scheen hij meer lucht te hebben. Nu hij klaar was met zijn verhaal ademde hij soepeler en hij had ook meer kleur gekregen, een blos zelfs.

'Fijn om het eindelijk met iemand te kunnen delen, m'n jongen. Dat lucht op. Met jou, Thomas,' zei Willem zachtjes. 'Je zult ervan geschrokken zijn, dat zie ik wel aan je, maar ik weet zeker dat je het zult begrijpen. Iets in jou moet het begrijpen, één druppel bloed in je lijf begrijpt het, daar vertrouw ik op. Wij tweeën, wij zitten altijd op één lijn. Het was niet makkelijk hoor, wat ik gedaan heb.'

Thomas begon over zijn hele lijf te trillen. Hij probeerde zijn lijf onder controle te krijgen maar alles trilde: zijn knieën, zijn handen. Hij zag zijn vader tegenover zich zitten maar hij wilde, kón hem niet meer zien, en hij kneep zijn ogen van walging dicht. 'Stel je voor, Thomas, een erfgenaam, een Noordgeest uit háár,' hoorde hij zijn vader zeggen. Thomas ging zwaar ademend en met bonzende slapen de kamer uit, naar de grachtenkamer. Hij nam het schilderij van de stoel, ging ermee voor het raam staan en bekeek het van dichtbij. De grond zakte weg onder zijn voeten nu hij op de golven de donkere spetters van haar bloed zag. Hij ging terug naar zijn vader, die nog steeds bij de haard zat.

'Toen alles voorbij was,' zei Willem, 'toen Ama verdwenen was, toen heb ik er nog lang van wakker gelegen, hoor. Ik gruwde ervan. Een beter woord kan ik er niet voor bedenken. Ik grúwde van mezelf. En geleidelijk aan kwam de schaamte. De schaamte en de schuld. Ze worden m'n dood.'

Thomas keek vertwijfeld naar zijn vader, die vertelde dat er maar één gedachte was die de schaamte wat kon wegnemen en zijn daden kon relativeren: dat er hier in huis wel tien van zulke meisjes gewerkt moesten hebben en dat veel van hen hun gevangenschap uiteindelijk met de dood hadden moeten bekopen, hier in Nederland of op een plantage. 'Dáár dacht ik aan, Thomas, als ik van mezelf walgde. Ik hoefde mezelf alleen maar in een andere eeuw te plaatsen. Jij en ik hadden net zo goed toen kunnen leven, toch, Thomas, dat is toch zo? Het ís volmaakt onbegrijpelijk dat we toevallig hier en nu leven. Natuurlijk, een paar eeuwen terug was het ook misdadig geweest, maar dan zouden de mensen er heel anders over hebben gedacht. Misschien dat het daarom ook zo heerlijk is om aan zo'n schip te bouwen. Weet je, Thomas, ze heeft weinig geleden. Je zou zelfs kunnen zeggen dat ze het goed heeft gehad bij ons.'

Het was zo warm en klam in de kamer geworden dat de ramen beslagen waren en Thomas' overhemd doorweekt was van het zweet. Hij gooide de tuindeuren open en voelde de frisse lucht langs zijn bezwete gezicht stromen. Hij liep het gazon op, dat met kastanjes bezaaid lag. Steeds dieper ging hij de tuin in. Hij keek om naar de achtergevel van huize Noordgeest met de ornamenten en zuiltjes. Hij zag Ama voor het raam op de eerste verdieping. Een avond, een paar jaar geleden, en Ama maakte de bedden op, klopte een kussen uit, spreidde een laken over het bed. Ze keek naar buiten en toen ze hem opmerkte, zwaaide ze naar hem. Hij zonk op zijn knieën in de border en stak zijn handen in de vochtige aarde. Hij greep in de aarde alsof die hem kon troosten. Hij wreef met handen als klauwen zijn haar uit zijn bezwete gezicht. Opnieuw begroef hij zijn handen in de grond. Het kalmeerde hem om de vochtige aarde te ruiken, te voelen. Maar toen hij opstond, kwam toch de woede. Hij vond op het gazon een lange dunne tak van de kastanje. Hij zwiepte er een paar keer mee. Met de tak stevig in zijn hand geklemd ging hij naar binnen.

Zijn vader praatte tegen hem, maar Thomas hoorde het niet meer. De tak zwiepte al door de lucht en sloeg de pendule van de schouw. Rinkelend rolde het klokje over de grond. Zijn vader kreunde alsof hij geraakt was, met gesloten ogen. Thomas sloeg opnieuw. Eerst op zijn benen, maar zijn vader draaide kermend zijn rug naar hem toe. De tak zwiepte door de lucht en kwam telkens met een knal terecht op zijn rug, zijn benen, en waar hij hem in zijn nek raakte, zwol de huid meteen rood op. Pas toen het uiteinde van de tak veranderd was in een flos groen kastanjehout liet Thomas hem vallen. Kreunend lag zijn vader voor de haard.

'Laat het bezinken, Thomas,' fluisterde zijn vader. 'Hou het geheim... Vertel het later door, aan je eerste zoon... als hij achttien jaar is. Dan ben je het kwijt en gaat het van generatie op generatie.'

Thomas hurkte voor zijn vader neer en legde zijn handen rond zijn hals. Zijn vaders ogen puilden uit en zijn mond sperde zich open, zodat zijn kiezen met de gouden vullingen zichtbaar werden. De huig, achter in zijn keel, maakte slikkende bewegingen. Thomas liet zijn vader van afschuw los en begon hem weer te slaan, met blote handen deze keer, met zijn knuisten, daarna ging hij de kamer uit.

'Wat ga je doen? Kom hier, Thomas,' kermde Willem. 'Je gaat toch geen domme dingen doen? Het blijft tussen ons, begrepen?'

Een kwartier later zag Willem zijn zoon langs de deuropening lopen met zijn sporttas over zijn schouder en viel de voordeur met een bons dicht.

Hij slaakte een diepe zucht. Alles deed hem pijn, maar hij had niks gebroken en de striemen, zwellingen en blauwe plekken trokken wel weer weg. Hij had zijn zoon het geheim verteld. Het was niet makkelijk geweest, maar het was hem tóch gelukt om het te vertellen. Thomas zou wel van hem walgen. Hij zou wel verward zijn, de komende uren. Maar als de grootste woede in hem straks was weggeëbd, zou hij terug naar huis komen.

Willem kon niet ontkennen dat hij trots was op zijn zoon, omdat die wél had gedurfd zijn vader in elkaar te slaan.

Hoofdstuk 14

EEN vrouw met een gele hoofddoek om knipte een strook van een lap geweven katoen en gaf hem door aan een collega achter een naaimachine, waarna zij een zoom naaide en de lap aan een volgende naaister doorgaf. Negen machines later was de stof dankzij schaar, naald, draad en vingervlugge arbeid veranderd in een tas met lange schouderband. Ze lagen achter in de garage opgestapeld en een jongen met een zweetband om bond ze op een pallet, zodat ze naar de boulevard gereden konden worden.

Rosa liep tussen de tafels met ratelende naaimachines door. Ze controleerde hier en daar een stiksel of zoom en maakte een praatje met een van de naaisters. Toen buiten een auto toeterde, rende ze naar de poort. De chauffeur, een dikke man met een groezelig hemd aan, tilde stapels katoenen lappen op de rug van zijn hulpje, een magere jongen, die ermee de garage in liep, voorovergebogen onder de last. Rosa controleerde steekproefsgewijs de stoffen en gaf er een paar terug waar gaten en vlekken in zaten. Toen pas betaalde ze de chauffeur en gaf ze de jongen fooi. Ze voelde met hem mee, omdat zijn baas hem afsnauwde en soms sloeg. Mocht ze eens een extra hulp nodig hebben in het magazijn dan zou ze hém aannemen, besloot ze.

Sinds een paar maanden was ze bedrijfsleidster van een van de naaiateliers van een oom van Badu. Ze had er eerst een tijdje als assistente gewerkt en was toen op het idee gekomen om tassen te gaan maken naar modellen van bekende westerse merken zoals Coco Chanel, maar dan in Ghanese kleuren. De kinderen aan wie ze les gaf, konden die verkopen op het strand of op de boulevard – en nu en dan reed een chauffeur een pallet naar het fort op de rots, waar veel toeristen kwamen.

Rosa ging het kantoortje achter in het atelier binnen, waar ze in de koele lucht van de ventilator ging zitten en het zweet van haar voorhoofd veegde. De voorgaande weken was het weer in Accra steeds klammer geworden. Om de paar uur had het geregend en ook nu begon het te regenen. Eerst zachtjes, maar al snel roffelden er druppels op de golfplaten en liepen er straaltjes langs de muren. Er moest nog een lading stoffen komen en Rosa hoopte dat het snel zou opklaren; een week eerder waren de straten ondergelopen, liep de modder naar binnen en waren er tassen nat en vuil geworden.

Ze draaide haar bureaustoel naar de rij mappen, controleerde de administratie en berekende de laatste omzet; ze zag dat er de afgelopen tijd zo veel winst gemaakt was dat ze een nieuwe naaister kon aannemen. Ze slaakte een kreet van opwinding. Er leek haar niks leukers dan dát. Via via zou het nieuws de ronde doen dat ze personeel zochten en binnen een paar uur zou er een rij voor het atelier staan. Ze nam zich voor naar de woonsituatie van de vrouwen te vragen, naar hun man en kinderen, naar hun achtergrond, en ze zou iemand uitkiezen met veel tegenspoed in haar leven. Het leek haar geweldig om zo'n vrouw te kunnen vertellen dat ze een baan had.

Rosa nam een paar slokken water, luisterde naar het roffelen van de regen op de golfplaten en hield de fles tegen haar wang en voorhoofd ter verkoeling. Ze dacht weer aan Ama. De vraag of ze hier ergens in Accra was, liet haar niet los. Ze had inmiddels meer dan tien Ama Mensahs ontmoet, dus als Anum gelijk had gehad en er inderdaad duizenden vrouwen met deze naam in Ghana woonden, schoot het nauwelijks op. Maar toch, als ze ergens een vrouw zag lopen die sprekend op Ama leek, ging ze er nog altijd achteraan, en als iemand een Ama Mensah kende, vroeg ze naar bijzonderheden.

Ze staarde peinzend naar de telefoon op haar bureau. Ze had wekenlang getwijfeld of ze naar huis zou bellen om te zeggen dat het goed met haar ging en om te vragen hoe het met haar vader en broertje was. De eerste keer dat ze het nummer had gedraaid en de telefoon hoorde overgaan, had ze opgehangen. Daarna had ze het nog een paar keer geprobeerd. Haar vader had kunnen opnemen en zou vast en zeker kwaad worden omdat ze zo weinig van zich had laten horen. Hij zou wel zeggen dat ze naar huis moest komen. Ze overwoog om dat binnenkort inderdaad eens te doen. Hoe gelukkiger en tevredener ze met haar leven in Accra was, hoe meer ze ernaar uitkeek om er haar vader en broertje over te vertellen. Ze nam de hoorn van de haak, draaide het nummer van het huis aan de gracht en de telefoon ging over. Ze herinnnerde zich hoe het gerinkel in de hal galmde.

Na een minuut hing ze pas op en vroeg ze zich af waarom er al tijdenlang niet werd opgenomen.

Ze nam nog een slokje en draaide de dop op de fles. Het geruis van de regen was verstomd, op een enkele druppel na. Zonnestralen vielen door de kieren tussen de golfplaten en overal zweefden draadjes katoen. Ze ging haar kantoortje uit, controleerde hier en daar weer een zoom of een naad, gaf complimentjes en ging in de deuropening naar de straat staan. Een man kwam voorbij met een stapel spijkerbroeken op zijn hoofd. Een paar meter verderop verkocht een jongen leren broekriemen. Een verroeste pick-up met een berg sandalen in de bak reed voorbij, de banden slipten in de modder weg. In de verte hoorde ze het aanzwellende geluid van trommels. Tien, twaalf jongens met bezwete bovenlijven kwamen voorbij, op trommels slaand. Een auto met in de aanhangwagen twee manshoge speakers waar muziek uit schalde reed langzaam achter ze aan. Daar achteraan droegen zes mannen op hun schouders een rode doodskist in de vorm van een lippenstift. Eromheen dansten mannen, vrouwen, kinderen. Langzaam trok de stoet aan Rosa voorbij. Ze tilde een meisje op met een rode jurk aan en een bloem achter haar oor; het meisje gaf haar een kus op haar wang en zei dat haar oma overleden was. Een vrouw pakte Rosa bij haar hand en danste met haar, met de heupen draaiend.

Tussen al die zwarte gezichten in deze wijk ver van de boulevard zag Rosa zelden een blanke, zodat het bleke gezicht van de jongen in de verte haar meteen opviel. De jongen verdween achter een parasol uit het oog. Ze wachtte even totdat ze hem weer zag. Hij zou weleens een Nederlander kunnen zijn, dacht ze, want hij was heel lang. Hij nam even zijn strooien hoed af, veegde het zweet van zijn voorhoofd, krabde aan zijn vlassige baardje en zette de hoed terug. Over de donkere gezichten heen, keek hij rond, alsof hij iets zocht. Hij vroeg iets aan een vrouw met een kind op haar arm en liep weer Rosa's kant op, een beetje slungelig, met verende tred. Ze herkende iemand in die motoriek, maar ze wist niet meteen wie. Nu hij dichterbij gekomen was en met felle blauwe ogen haar richting uit keek, herkende ze hem. Er ging een schok door haar heen, gevolgd door een golf van euforie. Ze kon het nog niet geloven, maar het was zo. Ze rende al naar hem toe, maar hij zag haar nog niet. 'Thomas!' riep ze.

*

Thomas zat tegenover zijn zus aan tafel in haar huisje en luisterde naar haar verhalen. Ze vertelde dat ze het huisje op het land van familie Van der Zee had mogen bouwen en dat Badu, haar vriend, haar daarbij geholpen had. Ze had Thomas het ateliertje laten zien waar ze bedrijfsleider geworden was. Ze vertelde over de kinderen die ze 's avonds beter leerde lezen en schrijven. Thomas was trots op zijn zus. Hij vond het knap van haar, hoe ze zich hier redde, in een land waar alles anders was dan thuis.

Rosa praatte hem bij over haar laatste weken in Nederland bij Peter op zijn bootje, over haar besluit om naar Ghana te reizen en over haar ontmoeting met Anum. Ze zei dat hij haar geholpen had bij het zoeken naar Ama, maar dat ze haar nog niet hadden gevonden.

Thomas luisterde geïnteresseerd en het verbaasde hem hoe vertrouwd het meteen voelde om na al die tijd bij zijn zus te zijn. Haar huis, nog geen vier bij vier meter, was precies groot genoeg voor twee bedden, een tafel met vier stoelen, een gasfornuis en een kastje met een kleine televisie erop. Aan het plafond draaide een ventilator, maar het bleef er klam en warm. Na een korte stilte vroeg Rosa weer aan Thomas hoe het thuis was. Ze had het hem al vaker gevraagd maar nog geen antwoord gekregen.

'Tja, wat zal ik zeggen,' mompelde hij.

'Wat ben je toch stil,' zei ze.

Hij antwoordde dat hij moe was van de reis en de eerste indrukken, maar ook van de laatste tijd.

'Wat is er dan gebeurd?' vroeg ze.

Thomas zakte onderuit en keek bedrukt naar zijn handen op tafel, waarmee hij zijn vader geslagen had. Hij wist niet waar hij moest beginnen. Hij keek weer naar zijn zus; ze lachte vrolijk naar hem en zei dat ze het fijn vond dat hij er was. Zij was zo levenslustig en optimistisch, terwijl hij zich zo grauw voelde. 'Ik ben al tijden niet thuis geweest,' zei hij zachtjes.

'Waarom niet?'

'Vanwege papa.' Hij veegde met zijn onderarm het zweet van zijn voorhoofd, maar zijn arm was al net zo nat als de rest van zijn lijf. Hij besloot zijn verhaal nog even uit te stellen. Hij voelde dat hij de moed nog niet had. 'Waar douche je eigenlijk?' vroeg hij. 'Kan ik even douchen?'

Rosa antwoordde dat er een tuinslang langs de zijmuur van haar huisje hing en dat er op het dak een watertank stond. Ze gaf hem een handdoek en zei dat ze wel wat eten ging halen bij Van der Zee.

Terwijl Thomas zich buiten in de schemering waste onder de

straal lauw water, twijfelde hij weer of hij er wel goed aan zou doen om Rosa de waarheid te vertellen. Ze scheen hier gelukkig en had de hoop om Ama te vinden kennelijk niet opgegeven. En moest hij haar nu vertellen hoe het met Ama afgelopen was? Moest hij haar met dat verhaal zo'n pijn doen? Ze zou hem eerst niet geloven. Daarna zou ze wel bang worden en in paniek raken. En huilen, heel lang huilen. Misschien zou ze naar huis willen gaan om bij hun vader verhaal te gaan halen. Wie weet wat ze hem aan zou doen. Het waren allemaal vreselijke scenario's en toch moest hij het zijn zus vertellen. Ze had er recht op de waarheid te weten. Hij had laatst gedroomd dat hij het haar vertelde: terwijl ze naar hem luisterde, werden haar ogen steeds groter en begonnen toen te smelten tot twee druppels teer, die uit hun kassen over haar gezicht dropen.

Toen Thomas klaar was met douchen en Rosa's huisje binnenging, rook hij pindasoep en glimlachte hij bedrukt.

'Weet je nog?' vroeg ze glunderend.

'Hoe kan ik dat vergeten, die soep was lekker,' mompelde hij.

Ze zwegen en proefden de soep.

'Had mama 'ns moeten weten, dat ik hier terecht zou komen,' zei Rosa.

Er viel een stilte.

Thomas slaakte een zucht. Dit is het moment, ging door zijn hoofd, nu móét je het vertellen. Hij kneep zijn ogen dicht alsof hij naar een film keek die hij niet wilde zien.

'Wat is er toch met je?' vroeg Rosa bezorgd.

Hij rilde terwijl hij zweette van de warmte. 'Ik heb in geen tijden met hem gepraat,' begon hij aarzelend. Zijn keel was droog van de zenuwen.

'Hoezo, wat is er gebeurd dan?' vroeg Rosa.

'Ama... hij heeft haar...' stamelde hij.

'Kom op, Thomas, doe niet zo geheimzinnig. Vertel nou gewoon wat er aan de hand is!'

'Misschien is het beter als ik het niet vertel,' zei hij. 'Je kunt er toch niks meer aan doen. Niemand kan er nog iets aan doen. Waarom zou ik het je dan vertellen?'

'Luister, broertje. Ik heb Ama gezocht. Maandenlang heb ik naar haar gezocht. Ik mis haar. Nog steeds. Ik zou niets liever willen dan haar vinden. Of in elk geval weten hoe het met haar is. En of ze nog weleens aan mij denkt. En wat het voor een relatie was, met papa. Daar zou ik alles voor overhebben. Dus als je ook maar iets méér weet dan ik, Thomas, vertel het me dan!'

'Ze werd zwanger. Papa heeft het me zelf opgebiecht.'

Rosa keek hem met grote ogen aan en riep: 'Dus toch!'

'Hij was bang dat hij alles aan het kind zou verliezen. Zo zei hij het zelf: er álles aan verliezen... het huis vooral, maar... Ama, ze...' Hij wilde zeggen dat ze dood was, maar kon het nog steeds niet. Hij zweeg bedrukt, peinzend, gesloten. Hij had het gevoel dat hij te veel gegeten had en zou moeten overgeven.

Rosa pakte zijn hand vast en kneep er zachtjes in, alsof ze hem zo wilde aanmoedigen om verder te gaan.

En Thomas gíng verder.

Rosa luisterde zwijgend naar haar broer. Ze keek hem nu en dan aan en schudde haar hoofd. Ze dook steeds verder in elkaar, totdat ze voorovergebogen met schokkende schouders zat te huilen. Pas na een kwartier werd ze wat rustiger.

Thomas ging naast haar staan, sloeg een arm om haar heen en zei: 'Ik wil het achter me laten, eerlijk gezegd. Ik wil dat al die rottigheid uit ons verleden bij ons stopt. Het enige dat ik kan doen, is iets goeds van mijn eigen leven maken. Je moet sterk zijn, oké? Doorgaan met wat je hier in Ghana doet. Ama heeft je hier gebracht.'

Rosa beet nadenkend op haar onderlip.

Ze zwegen, allebei met hun eigen gedachten.

Na een poosje vroeg Thomas: 'Zullen we gaan slapen? Ik ben doodmoe. Dan praten we morgen verder, goed?'

Rosa knikte traag, maar zei dat ze toch geen oog dicht zou doen.

Nadat ze zich hadden uitgekleed en in bed waren gaan liggen, verwonderde Thomas zich erover hoe sterk zijn zus zich hield. 'Rosa, waar denk je aan?' vroeg hij.

'Dat zo'n man ónze vader is,' klonk haar stem in het donker. 'Wat moeten we er nu mee? Hoe moeten we met zoiets omgaan? Stel dat hij hier was,' fluisterde ze. 'Stel dat hij leunend op z'n stok hier binnenkwam. Wat zouden we dan doen? Hoe ga jij ermee om?'

Thomas vertelde dat hij hun vader in elkaar had geslagen en daarna naar een vriend uit zijn klas gegaan was, waar hij een tijdje had mogen logeren. Nog niet zo lang geleden was hij in de schemering langs het huis gelopen en had hij er licht zien branden, maar hij was niet naar binnen gegaan.

'Hij was altijd met zichzelf bezig,' zei Rosa. 'Met zijn voorouders, zijn huis, zijn carrière... Als hij er straks niet meer is, wat dan, Thomas? Ga je daar doodleuk wonen? Een gezin beginnen? Dat wil papa toch zo graag? Kun je dat? Ik zet daar echt geen voet meer binnen, hoor. Nooit meer!'

Thomas staarde zwijgend de duisternis in. Hij hoorde zijn

zus naast hem in het donker ademen. Hij strekte zijn arm uit en zocht haar hand. Toen hij die gevonden had, kneep hij er zachtjes in en zij kneep zachtjes terug.

Hoofdstuk 15

HET raam van de grachtenkamer stond al weken open. Van buiten klonk het ratelen en klepperen van plezierbootjes en het klotsen van water tegen de kade. Telkens als er een bootje voorbij kwam varen, zwol het geluid van vrolijke stemmen en getinkel van glazen aan en dan stierven de geluiden weer weg.

Willem schrok op van de deurbel, die in de gang rinkelde. Hij zocht op de tast naar het knopje van de intercom naast de bank, drukte het in en vroeg wie er aan de deur stond. Zijn mond en keel waren zo droog en zijn stem klonk zo zwak dat hij betwijfelde of hij daarbuiten hoorbaar was. Er kwam geen antwoord, maar in plaats daarvan rinkelde de bel weer.

Hij zag op zijn horloge dat het bijna twaalf uur was – de thuishulp zeker, schoot door zijn hoofd, want die zou vandaag of morgen rond het middaguur komen voor een oriënterend gesprek. Hij drukte op de knop waarmee het slot van de voordeur geopend werd. Vervolgens luisterde hij naar voetstappen in de hal. Hij probeerde overeind te komen maar zijn buikspieren hadden de kracht niet meteen. 'Ik ben hier,' wilde hij roepen; er kwam niks anders uit zijn keel dan een schrale zucht.

Sinds het trapstoeltje was blijven hangen, sliep hij hier beneden. Hij kon niet ontkennen dat het hem beviel, hier in de grachtenkamer, te midden van zijn scheepsmodellen, verzameling souvenirs en boeken. Vanaf de hoge bank bij het raam kon hij zelfs als hij bleef liggen naar buiten kijken, en daar was altijd wel wat te zien. En als hij zich verveelde dan had hij zijn boeken, atlassen en naslagwerken binnen handbereik. Onlangs had hij de intercom laten installeren, zodat hij kon opendoen voor de koerier van de apotheek als die een nieuwe voorraad medicijnen kwam brengen, of voor de pizzajongen.

De voetstappen in de hal kwamen langs zijn deur, die op een kier stond. Hij probeerde nogmaals overeind te komen en het lukte hem nu om zijn hoofd en schouders op te tillen, zodat hij er het kussen achter kon schuiven en hij half rechtop zat. De voetstappen gingen verder het huis in. Hij ademde zo diep als mogelijk was in, zijn longen piepten en reutelden, en hij riep: 'Wie is daar?' maar zijn stem klonk fluisterzacht. Het voorgevoel dat hij niet zomaar had moeten opendoen overviel hem. Hij voelde aan het slangetje van zijn neusbrilletje en controleerde of het wieltje van het ventiel van de fles helemaal was opengedraaid. Zijn levenslijn. Halve dagen lang lag hij tegenwoordig aan de zuurstof; de fles stond naast de bank. En als hij niet aan de zuurstof lag, kreeg hij zo weinig lucht dat hij nauwelijks de kamer uit kon komen. Nog eens ademde hij zo diep mogelijk in om krachtiger te kunnen roepen dat hij hier in de grachtenkamer lag, waarna hij verder overeind kwam. Maar hij zonk machteloos en uitgeput weer in het kussen. Een deur in de achterkamer piepte, hoorde hij, en een gordijn schoof in de rails. Hij vroeg zich af hoe hij zo onvoorzichtig had kunnen zijn om meteen open te doen.

Na een korte stilte klonken de voetstappen weer in de hal, maar verder weg nu – in de keuken. Er rinkelde daar iets. Een glas of bord viel op de grond kapot. Sinds hij de energie niet meer had om de afwas te doen was het ook zo'n bende daar dat je er nauwelijks kon lopen. De vieze borden en schotels lagen er hoog opgestapeld. Hij hield één bord schoon in een emmer water hier in de kamer, zodat hij niet meer naar die stinkende keuken hoefde. Er zoemden overal vliegen. Op de vensterbank lagen ze op hun rug. Hij vermoedde dat die viezigheid voor de huisarts de reden was geweest om hulp in te schakelen. Hij had gezegd dat het niet nodig was, maar had de huisarts niet kunnen overtuigen. En nu vroeg hij zich af of het wel de thuishulp was die hij had binnengelaten. Hij hoorde iemand kuchen – een man. Het besef dat het geen vrouw was, benauwde hem nog meer.

De traptreden kraakten. De stem van zijn zoon klonk galmend vanuit de trappenhal: 'Papa?'

'Hier, hier ben ik,' riep hij opgelucht. Zijn stem klonk al wat luider, maar nog te hees om verder dan de kamer te dragen. Hij kon bijna niet geloven dat Thomas eindelijk was thuisgekomen.

Hij hoorde Thomas' voetstappen boven hem: traag, zwaar; bij elke bonk dwarrelde gips van het plafond omlaag. Er gingen daar deuren open en dicht. Een raam schoof in de sponningen, toen werd het stil in huis. Eindelijk was Thomas teruggekomen.

'Hier ben ik,' riep hij weer. Hij moest water drinken, één slok zou al helpen. Hij zocht met zijn hand naar het glas dat naast de bank moest staan. Er zat nog een bodempje in en hij dronk het leeg. Nog even en hij zou Thomas weer zien. Hij had er elke dag, elk uur naar uitgekeken. Natuurlijk, die jongen had het druk met school, met vrienden en vriendinnen, wat moest hij nog bij zo'n oude zieke kerel thuis. Maar het was wél zijn vader, die al die tijd op hem had liggen wachten en die hem zo graag weer eens zou zien.

De stilte in huis was hem zwaar gevallen. Hij had vaak aan Ama moeten denken: aan het bloed dat uit haar hoofdwond gesijpeld was tussen haar kroeshaar door, en aan haar slappe lijf, dat nog zo levendig naar zweet geroken had. Als hij eindelijk sliep, droomde hij vaak van het scheepsongeluk. Dan stroomde het zwarte water de kamer in, totdat het aan zijn kin stond. Ten slotte kwam er iets bovendrijven: haar donkere, gezwollen lijk met de rug omhoog. Van die angsten kwam hij nooit meer af. Ze schenen zelfs erger te worden naarmate hij verder aftakelde en de dood dichterbij kwam. Maar hoe kon het ook anders, want welke zondaar is niet bang voor wat er na zijn eigen einde op hem wacht?

Hij twijfelde waar hij banger voor moest zijn: dat zijn dood wel of juist níét het einde zou zijn. Natuurlijk, God was volmaakt onbegrijpelijk, áls Hij al bestond. En wie er vergeven werd en wie niet, was onmogelijk te voorspellen, maar ook die gedachte luchtte hem niet op.

'Papa?' galmde de stem van zijn zoon in de verte, van zijn zolderkamer misschien. Daar was hij zeker weemoedig een kijkje gaan nemen, verlangend naar vroeger, toen zijn moeder nog leefde en alles mooi en eindeloos leek. 'Papa!'

Het vervulde Willem van trots, telkens weer als hij die zware stem hoorde. Zo'n stem dwong respect af, maakte indruk, ongeacht de woorden. Lang geleden had hijzelf ook zo overtuigend geklonken. Hij schraapte zijn keel en riep terug: 'Hier, Thomas. Beneden!' De slok water had geholpen. Thomas zou hem nu toch wel gehoord hebben? Hij probeerde helemaal rechtop te gaan zitten, zodat hij er wat fitter uit zou zien als zijn zoon dadelijk de kamer in zou komen. Hij veegde zijn sluike grijze lokken uit zijn gezicht. Hij wilde zijn zoon niet laten schrikken door de toestand waarin hij verkeerde. Als hij het geweten had, zou hij de vliegen hebben opgeruimd en de melkfles met zijn pis erin hebben weggedaan. Maar ach, zijn zoon zou het vast wel begrijpen, dat het hier zo'n bende was. Ruim het maar op, met zo weinig lucht. Misschien zou Thomas hem helpen, nu hij toch hier was. Misschien zou hij wat langer willen blijven.

De voetstappen klonken weer in de hal en kwamen nu snel dichterbij. Opeens zwaaide de deur open – en daar was hij dan: Thomas Egidius Noordgeest, nakomeling van.

Thomas keek met geschrokken ogen naar zijn vader, maar zonder uit respect zijn strooien hoed voor hem af te nemen.

Zo'n hoed stond hem goed, vond Willem, want daar werd hij ouder van. En hij scheen wat voller geworden in zijn gezicht, waardoor zijn brede kaken en vooruitstekende kin nog meer kracht uitstraalden. Hij had een gezonde kleur van de zon. Ja, zijn zoon zag er indrukwekkend uit.

Nu Willem al zijn kracht aanwendde om overeind te komen, voelde hij steken in zijn hoofd. Zijn hart klopte traag en zwak. Hij ging weer liggen en krabde in zijn baard. Even sloot hij zijn ogen om uit te rusten. Hij dacht dat Thomas wel met hem zou meevoelen, nu hij zijn vader zo zwak en kwetsbaar zag.

Thomas vroeg hoe het met hem ging.

Wat kon hij antwoorden? 'Ik krijg het raam niet meer dicht,' zei hij. 'Overdag geen probleem, hoor, maar 's nachts... En hoe is 't met jou?'

Thomas kwam de kamer in en zette zijn handen in zijn zij. Wijdbeens stond hij daar en keek hij op zijn vader neer. Zijn blik gleed over de voorraad zuurstofflessen naast de bank, het slangetje, het ventieltje, de fles met urine, de vieze plastic bakjes en schaaltjes van bezorgeten, de vliegen. Hij schudde langzaam zijn hoofd en vroeg zich hardop af hoe het mogelijk was.

Willem strekte zijn hand uit naar zijn zoon in de hoop dat hij die zou pakken, maar in plaats daarvan liep Thomas rond de tafel waarop de Noord Welvaren stond. Hij boog zich voorover, zette zijn handen op zijn knieën, tuurde met één oog door een raampje van een hut en zo, dwars door het schip heen, naar zijn vader, die daar met ingevallen wangen op de bank naar adem lag te happen.

'Weet je waar ik geweest ben, papa? Bij Rosa in Ghana.' Thomas keek nog steeds door de Noord Welvaren heen, met één oog dichtgeknepen, langs de loop van een van de kanonnen, die op zijn vader gericht stonden. 'En hoe denk je, papa, dat het met haar is?'

'Hoe moet ik dat weten,' zei Willem. 'Is ze er slecht aan toe?'

'Je kent haar niet meer terug, papa, zo goed als het met haar gaat!' Thomas ging rechtop staan, vouwde zijn handen achter zijn rug en wandelde een rondje door de kamer. Hij vertelde trots over haar leven in Accra, haar werk in het atelier, haar vriend

Badu en over de kinderen die ze hielp. Ze was vrolijk en gezond en scheen gelukkig te zijn.

Willem fronste.

Thomas zag het en vroeg: 'Wat is er? Ben je niet blij voor haar?'

'Blij, blij, ze heeft er zelf voor gekozen. Ze is zelf weggegaan. Ze heeft zelf tégen ons gekozen, als het ware. Dus als het fout gaat, is het haar eigen schuld, laten we het daar maar op houden. Heb je het haar verteld, van Ama, m'n jongen? Nee toch, hoop ik? Het blijft toch wel tussen vader en zoon?' Willem stak zijn hand weer naar Thomas uit en mompelde: 'Zo onvoorzichtig ben je toch niet geweest?'

Thomas negeerde de hand van zijn vader en ging op een van de wankele stoelen bij hem zitten.

'Ik dacht dat ik je kon vertrouwen,' mompelde Willem.

'Heb ik je ooit een reden gegeven om me níét te vertrouwen,' zei Thomas.

Willem keek glimlachend naar zijn zoon en zei: 'Dank je, m'n jongen. Dank voor je begrip.'

'Begrip? Ik begrijp er helemaal niks van!' Thomas veegde een speekselbelletje uit zijn mondhoek. 'Je had alles om gelukkig te worden, papa. Ja, het verlies van mama was zwaar, natuurlijk, maar je had met ons best verder kunnen gaan. Ik begrijp er niks van, waarom jij altijd zo in het verleden bent blijven leven. En in de toekomst, de verre toekomst, dat ook. Soms denk ik dat wij in het hier en nu helemaal niks voor jou betekenden. Je hebt ons nooit écht gezien. Het ging er alleen maar om dat wij jouw dromen waarmaakten. En Ama... wat je haar hebt aangedaan... daar zijn geen woorden voor.' Thomas kneep zijn ogen dicht en schudde zijn hoofd. 'Maar ik wilde je dus laten weten dat het goed gaat met Rosa, sinds ze hier weg is.' Hij zweeg even, schraapte zijn keel en slikte, terwijl hij naar zijn vader keek. Ergens moest hij nog liefde voor zijn vader voelen, besefte hij, want anders zou het niet zó'n pijn doen om hem zo verwaarloosd te zien. 'Ik ga studeren, maar niet hier, hoor,' zei hij. 'Ver weg. Ik haat de grachten, die oude panden, die gevels.'

'Waarom zou je dat nou doen, m'n jongen,' zei Willem. 'Maak het jezelf niet zo moeilijk. Kom toch thuis wonen. Waar wacht je nog op. Hier heb je alles om gelukkig te worden. De hele stamboom kijkt naar jou, vol verwachting, naar jou alleen!'

'Ik wil er niks meer mee te maken hebben,' zei Thomas. Hij slaakte een zucht en zei dat hij ervan verlost wilde zijn.

Willem trok zijn wenkbrauwen op. Hij zei: 'Ik begrijp het al. Rosa heeft je gestuurd met deze onzin. Maar jongen toch, doe niet zo raar, denk na. Denk eens voor jezelf. Je laat je veel te snel ompraten. Schiet op, haal een glas water voor je vader en denk er nog eens goed over na.'

'Het interesseert me niks meer, papa, jouw hele erfgoed niet.'

'Water, Thomas! Alsjeblieft, haal iets te drinken voor me. M'n keel is zo droog dat het pijn doet als ik slik, verdomme. En praat niet van die onzin.' Willem hield zijn adem even in, toen piepten zijn longen weer. Steeds sneller ademde hij in en uit. Bij elke ademteug gingen zijn knokige schouders omhoog.

'Rustig maar, papa,' zei Thomas. 'Ik haal wel wat te drinken, goed? Maar dat is 't laatste wat ik voor je doe.' Hij ging naast zijn vader op de rand van de bank zitten en probeerde hem overeind te tillen zodat hij dadelijk wat kon drinken.

Maar Willem riep met schorre stem: 'Blijf van me af!' Hij zette met zijn voeten af tegen de leuning en had meer kracht in zijn lijf dan hij zelf had verwacht.

Toen Thomas de kamer uit liep om water te halen, keek Willem zijn zoon vol ongeloof na. Hij sloot zijn ogen en het angstvisioen overviel hem dat hij na zijn dood moest toezien hoe alles wat hij op aarde had opgebouwd door zijn zoon weggegooid, afgebroken en vernietigd werd. Nog nooit had hij zich zo machteloos gevoeld. Hier lag hij dan als een zieke, ouwe, vieze kerel wiens nalatenschap zijn eigen zoon niet wilde. Hij wilde zich niet langer door het leven laten vernederen, maar wat kon hij doen? Hij zou de gok kunnen wagen dat er na zijn dood niks op hem wachtte. Dat de dood het einde was en een verlossing zou zijn. Zeker weten deed hij het niet, zeker weten deed níémand het. Hij wilde niet dood, durfde niet te sterven, maar in deze toestand blijven leven was nog erger. Hij legde zijn ene hand over zijn mond en nam met zijn andere hand, tussen duim en wijsvinger, het ventieltje van de fles beet. Terwijl hij het dichtdraaide, trilden zijn vingers. Steeds minder lucht kreeg hij.

Zijn lijf begon te trillen. Al zijn spieren spanden zich en met zijn laatste sprankje bewustzijn begreep hij dat het stuiptrekkingen waren. Er doofde iets in hem, iets dat hem altijd pijn had gedaan, maar dat hij nooit had kunnen benoemen. Het doofde als een kooltje in de haard, werd steeds kouder en grauwer, om uiteindelijk in as uiteen te vallen.

Thomas kwam met een karaf water de kamer in en keek bevreemd naar zijn vader, die op zijn zij op de bank lag met één arm op de grond. Hij herkende zijn vader nauwelijks nog, zo grauw en stil als hij was. Aarzelend kwam hij nog dichterbij. Een paar seconden keek hij in zijn vaders ogen. Hij wendde zijn gezicht af in de hoop voor altijd te vergeten wat hij had gezien: de rode adertjes in zijn oogwit moesten zijn opgezwollen en geknapt, waarna het bloed in zijn ogen was uitgevloeid. Uit zijn geopende mond stroomde een afgrijselijke lucht.

Thomas liet de karaf vallen. De melk die hij gedronken had, kwam omhoog en hij gaf over. Zonder nog naar het lijk te durven kijken, ging hij voor het openstaande raam staan voor frisse lucht. De wind ruiste in de iepen en het golvende water weerkaatste het zonlicht. Er kwam een salonboot aan gevaren. Langzaam, statig, geruisloos, met een kapitein in wit uniform en een lange gedekte tafel waar een hoge bruidstaart op stond. Zachtjes schommelend, onder de groene kruinen door, verdween de boot uit het zicht.

Toen het dreunen van de diesel van een rondvaartboot klonk en Thomas het flitslicht van de toeristen zag, schoof hij de gordijnen dicht.